8/91
EK

Einführung in die Welt des Weines

HANS BREIDER

Einführung in die Welt des Weines

Illustrationen
von
Otto Mayer

STÜRTZ VERLAG WÜRZBURG

© 1984 Stürtz Verlag, Würzburg
Alle Rechte vorbehalten
Satz und Druck:
Hohenloher Druck- und Verlagshaus, Gerabronn
Buchbinderische Verarbeitung:
Röck, Weinsberg
Einbandgestaltung:
Otto Mayer
Reproduktionen:
Universitätsdruckerei H. Stürtz AG, Würzburg

ISBN 3 8003 0232 2

Inhalt

Einführung 11

*Wein genießen – Lust und Freude
empfinden* 15

Jeder trinkt seinen Wein 16
Der Wein schmeckt dort am besten,
wo er wächst 17

Auch auf die Tageszeit kommt es an............ 17
Weinsprache 17
Der Dualismus............................... 18
Weingenießer – Biertrinker.................. 19
Meditationen beim Wein..................... 20

Was ist Wein?............................... 23

Weinbegriffe aus verschiedenen Lebensbereichen 24

So entsteht Wein............................. 35

Trauben – Maische – Wein................... 36
Die Qualität des Weines..................... 36
Schonende Behandlung des Trauben-
saftes – die Entschleimung................... 37
Die Gärung................................ 38
Wilde Hefen................................ 39
Das Regelsystem der Gärung................. 41
Vom Traubensaft zum Wein................. 43
  Der Bitzler................................ 43
  Der Federweißer........................... 43
  Der Bremser.............................. 44
  Abstiche und Jungwein.................... 45

Wie man Wein trinkt......................... 47

Weinkultur im industriellen Zeitalter........... 48
Und so lernte ich Weintrinken................. 50
»Un nun die Gläser bereit!«.................. 54

Wein probieren............................. 57

Wein probieren – Kritik des feinen
Geschmacks................................. 58
Mit den Augen.............................. 63
Mit der Nase................................ 66
Mit Nase, Mund und Zunge.................. 71

Die materielle Struktur des Weines............... 83

Der Traubensaft............................ 84
Mostgewicht und Öchsle.................... 84
Mostgewicht und Zucker.................... 87
Die Gesamtsäure........................... 88
Der Wein.................................. 90
Fremdstoffe im Wein....................... 91
Der Alkoholgehalt als
Kalorienspender 93
Der Weinstein............................. 94

Die merkantile Basis des Weines................. 95

Der Wein ist eine Ware..................... 96
EG-Recht bricht Bundesrecht!............... 97
Einteilung der europäischen Weinbau-
gebiete in Zonen.......................... 99
Die Gebietseinteilung des deutschen
Weinanbaues 99
Was ist »Deutscher Wein«?................. 102
Weinkategorien........................... 102
Was sind Tafelweine, was Landweine?........ 103
Was sind Qualitätsweine?.................. 107
Voraussetzungen für die Bezeichnung
»Qualitätswein«.......................... 107
Voraussetzungen für die Bezeichnung
»Qualitätswein mit Prädikat«.............. 108

Qualitätswein und Weinqualität.............. 109
Zusätzliche Voraussetzungen für höhere
Prädikate 110
Stolpersteine für die merkantile Basis.......... 113
Die Anreicherung......................... 113
Die Süßhaltung........................... 114
Die Geschmacksnivellierung................. 116
Änderung bei der Preisbildung................ 116
Der Verschnitt............................ 118
Leichtweine und alkoholfreie Weine.......... 120

Die geistige Substanz des Weines................. 123

Wein als Psychoenergeticum.................. 124
Vom Mythos des Weines.................... 127

Wein und Gesundheit......................... 133

Aus dem Kräuterbuch....................... 134
Die Traubenkur........................... 135
Die Federweißenkur........................ 136
Weinkuren – Wein ein Arzt?................. 137
Ein Kurgetränk........................... 138
Ein Therapeutikum........................ 138
Wein im Alter............................ 143
Wein in der Rekonvaleszenz................. 145

Vom Weinstock.............................. 147

Da sprach die Rebe........................ 148
Der Weinstock............................ 149
So sagt's die Wissenschaft................... 150

Der Weinberg............................... 155
Die Rebsorten............................... 156
Weiß im Norden – Rot im Süden.............. 162

Einführung

Die Welt des Weines beginnt mit seiner Mutter, der Rebe, dort, wo sie zuerst gepflanzt wurde und heute gepflegt und ernährt wird, damit sie Frucht trägt; dort, wo sie der Sonne am nächsten steht und zugleich den Tau des Himmels trinken kann, den sie in einer wunderbaren Transformation als Saft in ihren Beeren sammelt, aus dem Dionysos mit Bacchanten und Eroten und den immer trunkenen Silen rasend, rauschend und brausend den Wein für die Menschheit schöpft, den »Vinum de vite«, der in Jahre und Jahrzehnte währender Reife erst jene geistige Substanz voll entwickelt, der ihm die Bezeichnung »Göttliches Getränk« eingebracht hat. Er ist in der Tat ein Getränk für die Götter, in deren Sphären sich jene Menschen versetzt fühlen, die einen Wein zu genießen wissen.

Über Wein sind schon viele Bücher geschrieben worden, aber wohl noch kein Buch, in welchem der Autor nach einem weinerfüllten Leben und nach mehr als 50 Jahren aktiver und erfolgreicher Arbeit in allen Sparten diese Welt des Weines mitgestaltet hat – mit Ausnahme in der Weinchemie – und nunmehr versucht, junge Weinfreunde in die persönlich erlebte Welt des Weines einzuführen, um sie schon frühzeitig an den Freuden teilhaben zu lassen, die der Wein schenken kann, wenn man ihn versteht. Diese Einführung ist also nicht von einem Weinliteraten geschrieben und daher sowohl fachlich, wie sachlich, als auch erkenntniskritisch und dionysisch persönlich gehalten. Dabei werden die Empfindungsbereiche des Leibes wie des Gemütes ebenso angesprochen wie fachwissenschaftliches Wissen um den Weinstock und den Weinberg, die Entstehung der Edelrebe nach neuesten Ergebnissen der Kulturpflanzenforschung, wie auch elementare Kenntnisse über die materielle Struktur des Traubensaftes und des Weines und seine merkantile Basis vermittelt werden.

Zum Erleben der Welt des Weines gehörte ein stets enger Kontakt zu jenen Freunden des Weines, die ihre Empfindungen beim Wein in belletristischer Form, sei es in Poesie, sei es in Prosa, wiederzugeben verstehen und mit deren Gefühlen man sich identifizieren kann. Es gehört auch das Studium der Literatur vergangener Zeiten dazu, um das, was damals geschrieben wurde, inhaltlich kritisch zu erfassen und zu erfahren, wie weit es auch heute noch gilt und inwieweit man seine eigenen Gedanken damit abrunden und vervollständigen kann.

Die Welt des Weines hat auch ihre Schattenseiten, sonst wäre sie keine Welt. Die Ursachen dafür liegen sowohl im Mißbrauch wie in der Mißhandlung des Weines in seiner Jugendzeit. Im Mißbrauch – das ist klar. Schlimmer als der Mißbrauch aber wirken sich die Mißhandlungen aus, die es natürlich in allen Jahrhunderten gegeben hat. Sie waren jedoch zu keiner Zeit so tiefgreifend, daß schon vom Traubensaft nichts anderes mehr übrig blieb, als ein totes Gerippe, mit Trockenhefe vergoren, das homogenisiert, egalisiert und germanisiert in Pappkartons, Bierflaschen und Blechbüchsen als Volksgetränk – Wein – angeboten wird.

Dazu sei bemerkt: Der nicht angereicherte, echte »Vinum de vite« wird niemals ein Volksgetränk sein können. Er bleibt reserviert für die Weingenießer und trotz Verwaltungstechnik immer ein Gott!

Dieses Buch ist kein Lehrbuch im üblichen Sinne. Es will vielmehr die außerordentliche Mannigfaltigkeit und Vielschichtigkeit in der Welt des Weines deutlich machen und läßt jedem werdenden Weinfreund nach Denkanstößen Raum und Zeit für ein eigenes Erlebnis in dieser wunderbaren Welt, wie auch der Autor seine eigenen Empfindungen, Meinungen und Erfahrungen Ausdruck in eigener Weise wiederzugeben versucht, um gleichzeitig darauf hinzuweisen, daß es in der Welt des Weines eigentlich nur ein erstrebenswertes Ziel gibt, nämlich:

»Seinen Wein zu jeder Zeit und an jedem Ort zu finden und zu genießen« und dabei immer zu beherzigen, was einmal französische Äbte geschrieben haben: »Bois de bon vin et sois bon comme lui« – Trink guten Wein und sei gut wie er.

Es bleibt mir noch die angenehme Pflicht, Herrn Dr. Miltenberger für die freundliche Durchsicht der die Weinchemie betreffenden Kapitel zu danken, insbesondere Herrn Reg. Baudir. a. D. Otto Mayer, Würzburg für die gelungenen Illustrationen und schließlich dem Verlag Stürtz AG für den Druck und die ausgezeichnete Gestaltung des Buches.

Würzburg im Winter 1983/1984

Hans Breider

Wein genießen –
Lust und Freude empfinden

»Anfangs muß man durch Demut
und einfachen Glauben,
wie in allen Künsten den Grund legen.
Nur keine vorzeitige Kritik,
Kein naseweises Schnüffeln,
Sondern ein edles vertrauensvolles
Sich-dahingeben…
Keine leere Schwärmerei…«!

Ludwig Tiek 1773–1853

Jeder Mensch hat das Recht auf Lust, Freude und Glückseligkeit, in welchem Bereich auch immer. Lust und Freude empfinden und sie noch zu steigern, setzt voraus, daß man den Gegenstand bzw. das Objekt kennt, von dem die Reize ausgehen, die jene elementaren Gefühle erst auslösen, die wir Lust, Freude und Glückseligkeit nennen. Also muß man bestrebt sein, diese Reizquelle kennenzulernen. Meist ist dieses Studium ein langer Weg, ehe der höchste Grad der inneren Freude als Lust erreicht wird. Bei dem einen ist dieser Weg leichter und die Zeit kürzer, bei dem anderen schwieriger und länger.

Jeder trinkt seinen Wein!

Die Vielfalt der Objekte – in unserem Falle der Weine –, spielt dabei eine Rolle. Im Grundaufbau ihrer materiellen Struktur unterscheiden sich die naturbelassenen, chemisch unbehandelten Weine relativ wenig. In ihrer Seele, ihrer geistigen Substanz, in ihrer Ausstrahlung auf den, der sie trinkt, erweist sich jeder Wein als eine Persönlichkeit, von der sich der Weingenießer ganz in den Bann ihrer dionysischen Seele einbeziehen läßt.
Wie in der Liebe kommt es auch beim Weingenuß nicht allein auf das Objekt, sondern in eben demselben Maße auch auf die persönliche Einstellung, ja sogar auf die momentane Stimmung, auf den jeweiligen Ort, auf die Umgebung an. Der Weingenießer trinkt »seinen« Wein; aber dieser Wein muß nicht zu allen Zeiten und an allen Orten ein und derselbe sein. Erinnert sei an *Goethe,* an dessen Weinfreudigkeit wohl niemand Zweifel hegen wird. Die Weinbaugebiete an Rhein und Mosel, in der Pfalz, in Elsaß und Ungarn, der Bourgogne und nicht zuletzt am Main zählen Goethe zu dem berühmtesten Zeugen für die Qualität ihrer Weine. In seinen späteren Lebensjahren war wohl der Burgunder sein täglicher Begleiter, für

den er sich eigens eine flache Flasche für seine Rockta-
sche anfertigen ließ, um selbst bei Theatervorstellungen
ihn nicht entbehren zu müssen. In Karlsbad zur Kur
schrieb er an seine Frau Christine: »Schicke mir noch
einige Flaschen Würzburger, denn kein anderer Wein
will mir schmecken«.

Der Wein schmeckt dort am besten, wo er wächst

Man sagt auch, der Wein schmeckt im allgemeinen dort
am besten, wo er gewachsen ist. Dem muß man zustim-
men. Die Umgebung, in all ihren Variationen, spielt dabei eine Rolle; mit ihren Menschen, die eine ganz andere
freiere, fröhlichere Lebensauffassung zeigen, die dionysisch-bacchantischen Landschaften, die gemütlichen
Weinkneipen, die passende Brotzeit, all dieses hat einen
wesentlichen Einfluß auf den, der sich dem Wein dort
nähert, wo er gewachsen ist.

Auch auf die Tageszeit kommt es an

Auch die Tageszeit wirkt mit: Frühmorgens trinkt man
einen leichten Wein, der beflügelt; abends geruhsam einen schwereren Wein, der die Seele des Menschen nach
des Tages Last liebevoll umhüllt. In allen Situationen
und zu allen Tageszeiten ist das Befinden – bei entsprechender Weinkenntnis – Voraussetzung für die Auswahl eines Weines.

Weinsprache

Freude und Glück beim Wein empfindet natürlich nur
derjenige, der Lust am Weintrinken hat. Fühlt er sich

von einem Wein angesprochen, so daß dieser ihn zu einem steigenden Lustempfinden reizt, dann spricht der Weingenießer eine ganz andere Sprache, mit der er seinen Empfindungen und seinen Zustand steigenden Wohlbehagens Ausdruck verleiht. Seine Wort- und Satzbildung ist dabei sehr persönlich betont und durchmischt und durchtönt von einer oszilierenden Spannung und Erregung durch den funkelnden Glanz der lebendigen Strahlenquelle im Glas und in der feinen Schattierung der aus dem Becher ausströmenden differenzierten Geruchs- und Geschmackseindrücke, die in seinem Munde eine eigentümliche, reizvolle Harmonie bilden, daß er Wort und Begriffe gebraucht, die im normalen Gesellschaftsverkehr nicht üblich sind.

Jeder Mensch verfügt über sein eigenes Milieu, in dem unablässig Reize auf ihn einwirken, die seine Seelenlage, sein körperliches Befinden, den Kraftstrom und das Empfindungsvermögen seines Lebens beeinflussen. Jeder sieht daher einen Wein anders an als sein Mitmensch, er schmeckt ihm auch anders und er reagiert auf die Reize, die vom Wein ausgehen auch anders, eben persönlicher, individueller.

Der Dualismus

Beim Weingenießen schließen Mensch und Wein eine Seelengemeinschaft. Man stelle sich dieses einmal vor, um vielleicht zu erkennen, daß Weingenießen ein Zwiegespräch ist zwischen zwei Dualismen, von Mensch und Wein, die beide Körper und Seele besitzen. Die Einbeziehung dieser Ambivalenz von Seele und Körper lassen den Weintrinker zum Weingenießer werden. Es würde durchaus verständlich erscheinen, daß hier eingewendet wird, man würde sich philosophierender Weise zuweit in die Psychoanalyse des Weingenießers vorwagen. Dazu sei betont, daß in diesem Zusammenhang natürlich nur naturbelassene, naturreine, individuell unterschiedliche Weine der Edelrebe »Vitis vinifera« angesprochen werden, die ihre Abstammung und Herkunft nach Sorte, Jahrgang, Boden, Klima, Lage und Keller erkennen lassen.

Es sind also nicht die uniformierten und egalisierten Massenweine, die den Markt füllen und von denen behauptet wird, daß sie Volksgetränk seien – und es auch sind, – die nur aus dem Skelett bestehen und weder das Fluidum noch das Mysterium als die von Mystik umhauchte Quelle körperlicher, geistiger, künstlerischer und religiöser Kräfte in Körperfülle und vielseitigem Charakter beinhalten; die nicht mehr das mit allen Düften der Erde und allen Kräften der Sonne gesegnete und dem Menschen am nächsten stehende Geschenk der Natur sind.

Weingenießer – Biertrinker

Der Weingenießer gibt sich ganz und andachtsvoll seinen Empfindungen hin und verweilt genüßlich in der Lust des Weingenießens. Er unterhält sich mit seinem Partner – dem Wein – läßt ihn seine Nase umspielen, kostet seine erste Berührung, – einmal – und noch einmal –, um mit erstem kräftigen Schluck ihn ganz zu verstehen und zu umfassen, sein Herz und seinen Charakter zu prüfen und zu analysieren, und dann läßt er sich Zeit, um die Einwirkungen des Reizes zu verlängern, d. h. er schlürft ihn, kaut ihn und bedächtig empfindet er die damit verbundene Lust sublimer und vitaler. *Eduard VII.* von England sagt dazu: »Wein trinkt man nicht nur, man riecht ihn, man betrachtet ihn, man schmeckt ihn und man spricht von ihm.«

Wenn ein Weingenießer von der Blume, vom Bukett oder vom Aroma spricht, vom Körper und Charakter seines Weines, von dem langanhaltenden Nachgeschmack, den er den »Schwanz« nennt, so ist das etwas anderes als wenn einer mit offener Kehle sein Bier trinkt.

Die Lust beim Weintrinken und Biertrinken liegt auf verschiedenen Ebenen: Beim Biertrinker im vollen Zuge und in der Menge; beim Weingenießer im köstlichen langsamen Schlürfen und in der stillen gegenseitigen Ansprache zwischen ihm und dem Wein.

Beim Biertrinken ist nur das Trinken lustbetont, beim Weintrinken aber sowohl das Vorspiel, wie der Zustand des anhaltenden und sich steigernden Wohlbehagens beim Trinken selbst, als auch die Erinnerung an einen Wein, die oft über Tage und Jahre, ja sogar Jahrzehnte andauert und genußreich nachklingt.

Wer Wein wie Bier trinkt, der ist ein Säufer, der sich übertrinkt. Wein trinken ist eine Kunst, die man lernen kann, aber Weingenießen ist angeboren, entweder man hat's oder man hat's nicht.

Die angeborene Eigenschaft muß durch eine regelmäßige Schulung erkannt und entwickelt werden, genau wie logisches Denken oder die Begabung für fremde Sprachen u. ä.

Meditationen beim Wein

Die Merkmale eines Weines, die jeweils den Empfindungsraum in uns ausfüllen, bilden nie einen wirren Haufen. Sie tragen immer ein Mindestmaß von Ordnung, bedingt durch ihre ererbte Konstitution, modelliert durch vielfältigste Umwelteinflüsse, unter denen die der Sonne, des Bodens, des Klimas, der Pflege der Rebstöcke, des Kellers und des Ausbaues eine Hierarchie bilden. Aber wir sehen immer eines unter ihnen, nämlich das Ererbte, ihre unwandelbare Sortenzugehörigkeit herausragen, als sei es bevorzugt, als sei es erhellt, als ließe es unsere Empfindung besonders aufleuchten, das alles andere in sich aufnimmt und eine ungeheure Symphonie mit dem immer wiederkehrenden Motto bildet. Es gehört zum Wesen unseres Weinempfindens nach etwas Besonderem im Wein zu suchen. Aber es ist ihm nicht möglich, nur auf das eine zu achten und das andere unbeachtet zu lassen.

Da die Anzahl der Weine, die uns im Leben begegnen, sehr groß ist, und das Feld unseres unbewußten Empfindens sehr begrenzt ist, besteht unter den Weinen sozusagen ein Wettstreit um unsere Zuneigung und die Eroberung unserer Aufmerksamkeit. In dieser Zone größter Helligkeit spielt sich die Analyse, das Erkennen, Beurteilen und Bewerten im eigentlichen Sinne ab. Das übrige – die Gruppeneinteilung der Weine zum Zwecke des Kaufs und Verkaufs, — die merkantile Basis, ist nur ein gewöhnliches Handelsgeschäft. Die Zwiesprache aber mit dem Wein, mit Deinem Wein und Dir, zwischen meinem Wein und mir ist die eigentliche Raumzeit, in der sich das Empfindungsbewußtsein bildet.

Für den Genuß eines Weines ist es nicht gleichgültig, in welcher Flaschenform der Wein auf dem Tisch steht. Weltoffenheit zeichnet die Schlegelflasche aus, Eleganz und Vornehmheit die Burgunderflasche, Wohlhabenheit ohne Prunktsucht verrät die Bordeauxflasche und endlich Gemütlichkeit der Bocksbeutel, der die schönen Erinnerungen an jene Stunden wachruft, in denen der Weingenießer Weinen mit edlem Charakter, Wahrheit und Reinheit, redlich, gut und schön begegnete:

»Guter Wein hat den Lohn,
daß man lange red't davon«!

Was ist Wein?

Der Winzer:

Wein ist das Produkt des Sonnenscheins,
des Bodens, der Rebensorte
und meiner Hände Fleiß,
meines Wissens und meines Herzens Gebet.

»Wenn Gott segnet Weinberg und Pflug,
so bin ich reich und habe genug«

1730

23

»Das öffentliche Leben ist nicht nur
politisch. Es ist zugleich: Geistig, sittlich,
wirtschaftlich und religiös. Es umfaßt alle
Kollektivgebräuche und schließt die
Kleidung ebenso ein wie das Genießen.«

Ortega y Gasset

Auf alle Bereiche des menschlichen Lebens und der
menschlichen Gesellschaft hat der Wein einen bedeuten-
den Einfluß ausgeübt, zu allen Zeiten und dort, wo er angebaut und genußvoll getrunken wurde. Wein ist dem
Menschen schon solange bekannt wie das Brot. Während
aber das Brot der körperlichen Ertüchtigung diente, för-
derte der Wein die geistige Entwicklung. Er galt von Anfang seines Erkanntwerdens an als eine göttliche Kraft,
von der Vinum de vite bis heute noch nichts eingebüßt
hat. Dementsprechend hat der Wein in der Vergangenheit wie in der Gegenwart für alle Bereiche und aus allen
Bereichen des menschlichen Lebens Begriffsdefinitionen
erfahren, die das Wesen des Weines wiederzugeben vermögen. Sie haben auch heute noch ihre Berechtigung,
wenn sie den Umständen der kulturellen Entwicklung
und der weitverzweigten Zivilisation entsprechend her-
ausgehoben werden.
Im folgenden Kapitel werden sie auswahlweise gleichsam
als Leitmotiv für die anschließenden Ausführungen wiederzugeben.

Daß der Wein von Ewigkeit sei,
daran zweifele ich nicht.

Goethe

Was ist Wein?

Jesus Christus: »Das ist mein Blut!«

Der Weinbischof:

Der Wein stärkt den schwachen Magen,
erfrischt die ermattenden Kräfte,
heilt die Wunden an Leib und Seele,
verscheucht Trübsal und Traurigkeit,
verjagt die Müdigkeit der Seele,
bringt Freude und entfacht unter Freunden
die Lust am Gespräch.

Augustinus

Der Weinpfarrer:

Was werkt und schafft im Rebensaft,
Dreiviertel davon ist göttliche Kraft!

nach einem lat. Volksspruch

Der Kellermeister:

Eine hochkomplizierte, jedoch in
vollkommener Harmonie abgerundete Einheit,
deren Ausgangsmaterial als Traubensaft
offenbar mit allem versehen ist, was ohne
künstliche Zutaten das endliche Produkt,
den Wein, zu einem besonderen Genuß- und
Nahrungsmittel macht«

Thadäus Troll

25

Der Weinkenner:

Willst spüren du
des Weines feurigste Funken,
Gieß nie das edle Naß in Strömen ein;
Erst auf der Zung' erprobt,
dann langsam getrunken,
So wills der alte wie der neue Wein!

F. Rückert

Der Wandersmann:

Im Frühling trink ich Wein, die Lust
Der holden Frühlingszeit zu mehren;
Zur Kühlung trink ich im August,
im Herbst, den Gott des Weins zu ehren,
im Winter wärmt er mir die Brust,
Drum trink ich ihn, den Frost zu wehren!

Pfarrer Rammler

Der Kulturhistoriker:

Das innigste Symbolverhältnis besteht
zwischen den Säften: Wein und Blut, wie es
auch die Verbindungen Rebenblut und
Traubenblut schon andeuten, denn im Blute
der Menschen ist der tierische Lebenssaft
zu Geist geworden, im Wein
der vegetabilische.

Christoffel

Der Weingenießer:

...So etwas von Reinheit, Wahrheit und
Klarheit, von aufgesammelter Sonne und
sonnengetränkter Erde war noch nie da.
Ich werde mich hüten, aufzuschreiben,
wo ich gewesen bin. Als ich das erste
Glas getrunken hatte, wurde ich ganz still.
Ich trank alte Weine im Alter und sie
waren hell und zart wie Frühsommer.
Ich saß und saß und träumte und wurde
ganz gerührt bei dem Gedanken, daß man
einen Wein nicht streicheln kann.

frei nach Tucholsky

»Freude ist der starke Arm der Gesundheit,
Wein ist dieser Freude glückhafter Nahrung«

Wilh. Busch

»Der Geist der Natur senkt sich auf liebliche
und anmutige Weise wechselnd, spielend
hier und dort in die Rebe und läßt sich
im wundersamen Reigen verklären, um über
den magischen Weg der Zunge in unser
Inneres zu steigen, um dort aus allem
Chaos glänzende Kräfte aus Betäubung und
Schlummer zu wecken... Und wir ahnen die
Unendlichkeit der Erkenntnis in uns,
diesen weissagenden Spiegel
der Ewigkeit...«

Ludwig Tiek

Wein führt von der Unrast zur Muße und
offenbart die Nichtigkeit und die
Relativität mancher Dinge. Wein macht uns
fähig, uns von den Ängsten und Bedrägnissen
der Zeit zu lösen.

H. J. Koch

Der Arzt:

Nichts richtet die gesunkenen Kräfte des
Körpers wieder so auf, wie der Wein.

Plutarch

Der Diplomat:

Wo der Wein regiert, stirbt der Alkoholismus.
Wo der Wein regiert, verschwindet der
schlechte Geschmack.
Wo der Wein regiert, ist der Himmel klar
und die Menschen lächeln.
Wo der Wein regiert, herrschen Höflichkeit,
guter Geschmack, Toleranz und der Wille,
eine bessere Welt zu bauen, in der
man die Ungerechtigkeiten und
Mißverständnisse vergißt.
Wo der Wein regiert, herrscht jene Kultur,
die unter dem Himmel von Attika geboren, sich
auf den Flügeln des römischen Adlers verbreitete.

Der frz. Botschafter 1964
in Brüssel

Der Wirtschaftsprüfer:

Wein? Der den filzigen Geizhals,
wenn der Wein an ihn kommt,
Seine Habe gering erscheinen läßt
und zum Verschwender macht.

Paul Heine 1980

Der Heilpraktiker:

O, du edler Rebensaft,
Wie gibst du manchem gute Kraft,
Du labst die Kranken in den Spitteln
Und erquickst die Bauern in den Kitteln;
Und wirfst du einen gleich darnieder,
So kommt er danach morgen wieder.

unbekannt, 15. Jahrh.

Der Apotheker:

Der Wein ist unter den Getränken
das nützlichste,
Unter den Arzneien
die schmackhafteste,
Unter den Nahrungsmitteln
das angenehmste.

Plutarch

29

Der Philosoph:

Im Wein sind Mühe und Fleiß,
im Wein sind Sonne, Sorg' und Schweiß,
im Wein ist Erde, neu erstanden,
im Wein ist Geist aus Vaterlanden;
im Wein sind Schöpfung, Hoffen, Bangen,
imWein sind Jahre eingefangen;
im Wein sind Wahrheit, Leben, Tod,
im Wein sind Nacht und Morgenrot,
Und Jugend und Vergänglichkeit;
Im Wein ist Pendelschlag der Zeit;
Wir selbst sind Teil von Wein und Reben,
im Weine spiegelt sich das Leben!

Roland Bertsch

Der Psychologe:

Wein ist der Glättstein
Des Trübsinns, der Wettstein
Des Stumpfsinns, der Brettstein
Des Siegers im Schach.
Ja, Wein ist der Meister
Der Menschen und Geister,
Der Feige macht dreister
Und stärket, was schwach;
Der Kranke gesund macht,
Blaßwangiges bunt macht,
Verborgenes kund macht,
Und Morgen aus Nacht.

Friedrich Rückert

Der Theosoph:

Nun grüß dich Gott, du gesunde Arznei,
Wo du rastest, ist große Kirchweih,
Gnad und Ablaß, Gelehrten und Laien,
Zu dir wall' ich und tanz zu dir in Reihen;
Will großen Glauben an dich haben,
Der werte Kraft tut machen laben;
mehr denn Syrup und die Rezept,
Mit denen man die Kranken
stippt und steppt,
Du wäscht mir die Zähn'
und badst mir die Zunge,
Und frischest die Leber
und fleischest die Lunge,
Und labst mir Herz
und füllest den Magen.

unbekannt, 15. Jahrh.

Der Weinprüfer:

Man kann den Wein durch chemische Analyse
testen und das Verhältnis von Alkohol,
Zucker, Säure, Gerbstoff, Extraktstoffen,
Wasser usw. wissenschaftlich bestimmen,
selbst die feineren Stoffe, die das Aroma,
das Bukett, die Blume bilden, analysieren, aber nie die
Harmonie synthetisieren. Das kann nur
die Zunge und nur dann, wenn der Prüfer
die Kenntnis besitzt und in guter körperlicher
und seelischer Verfassung und Stimmung ist.

Zusammenfassung aus Schrifttum
und Unterhaltung

Der Weinkritiker:

Bei »keinem« Wein ist der Alkohol in sich
die Quelle der Gnaden, die einem Wein
entströmen. Der Alkohol hilft lediglich
den Körper zu bilden, aus dessen hauchzarter
Säure jener Geschmack entschwebt,
... nein die Bezeichnung »Geschmack« ist
zu massig; eher ist es ein Duft, den man
schmeckt! Es ist die unterschiedliche
Dreingabe des Bodens, die dem Wein eine
besondere Prägung mitgibt und die
Sorteneigenart mehr oder weniger modelliert,
oft zur Freude, oft zum Ärger des Erzeugers,
des Weinkenners und des Weingenießers.

Zusammenfassung aus Schrifttum
und Unterhaltung

Der Journalist:

Der Winzer baut den Wein an, der
Kellermeister erzieht ihn. In manchen
Jahren verzweifelt der Winzer an seinem
Sprößling. Dann versucht der Kellermeister
dem Weine das beizubringen, was ihm von
der Natur versagt geblieben ist.

Aus Werbung, Tageszeitungen
und Illustrierten

Der Ordensmeister:

Ein wertvolles Kulturgut, das mehr ist als
ein Getränk, für das ein eigenes Gesetz
geschaffen werden mußte.

Theo Becker 1970

Der Weinkellner:

Wohl erquicket der Körper
sich an Schmausereien,
Seele aber gibt dabei
doch nur der Wein.

Vörösmarty, ein Föter Lied,
Ungarn

Der Wein-Wirtschafts-Wissenschaftler

Der Wein ist ein Naturprodukt, dessen
Mengenerträge von verschiedenen Faktoren
abhängen. Wieviel Trauben der Winzer
jährlich von einem Hektar erntet, hängt ab:

1. Von der Fruchtbarkeit der Böden
2. Von der Traubensorte und bei
   Pfropfreben von der Unterlage
3. Von der Züchtungsstufe der Rebensorte
4. Von der Düngung
5. Von der erfolgreichen Schädlingsbekämpfung
6. Von den Niederschlägen und
   dem Zeitpunkt derselben
7. Von den Früh- und Spätfrösten

33

Die Qualität wird außerdem bestimmt:

8. Durch die Sonnenscheindauer im Jahr
   und in der Vegetationszeit
9. Durch die relative Feuchtigkeit der Luft
10. Durch sach- und fachgerechte Lese,
    zeitlich wie exakt
11. Durch die pflegliche Kelterung
12. Durch sach- und fachgerechte Behandlung
    des Mostes und der Jungweine

nach Kalinke 1969

Das 5. deutsche Gesetz:

Wein ist das aus frischen Weintrauben
hergestellte Getränk, wenn dies infolge
alkoholischer Gärung, die auch auf der
Traubenmaische erfolgen kann, mindestens
55 g Alkohol im Liter, bei Beeren- und
Trockenbeeren-Auslesen 43 g/l enthält und
das bei 20° C einen Kohlensäuredruck von
höchstens 2,5 Atü aufweist.

1971

EWG-Bestimmung:

Wein ist das Erzeugnis,
das ausschließlich
durch vollständige oder teilweise Gärung
der frischen, auch eingemaischten Weintrauben
oder des Traubenmostes gewonnen wird.

So entsteht Wein

Es riecht nach
Dauben und Fässern,
Fruchtdumpfig
In den Kellern
Liegt der verlangene Schatz,
Still mit sich redend,
Betrunkene
Verse sprechend.
Und das wortlose Echo
Durchduftet die Gassen.

Georg Britting

Allgemein verständlich gesprochen ist Wein zweckdienlich vergorener Traubensaft frisch gepflückter Weintrauben. Als Wein schlechthin darf kein anderer vergorener Fruchtsaft als Wein bezeichnet werden. Bei diesen Fruchtweinen muß immer die Frucht in Verbindung mit dem Wort »Wein« stehen, also Apfelwein, Birnenwein, Beerwein (Erdbeeren), Reiswein u. a.

Trauben-Maische-Wein

100 kg Traubenmaische (zerquetschte Beeren) ergeben im allgemeinen 65–80 Liter Traubensaft; davon sind etwa 60 % Vorlauf, das ist der Saft, der ohne Pressung abläuft; 30 % Pressmost, der durch gelindes Keltern gewonnen wird; 10 % Scheitermost, der durch wiederholtes Lockern des Tresters, bis zu sechsmal, noch ausgepreßt wird.
Qualitätsbewußte Betriebe haben schon immer den Scheitermost lediglich als Haustrunk verwendet. Nach dem neuen Weingesetz vom 27. August 1982 muß der Trester mindestens noch 2 Vol. % Alkohol (potentieller Alkohol), das sind 40 g Zucker/kg aufweisen. Damit wird gewährleistet, daß der Scheitermost nicht mehr zur Gewinnung von Wein verwendet werden darf.

Die Qualität des Weines,

seine Farbe, sein Duft und Aroma, sein Alkoholgehalt, seine Alkoholart und vor allem die in einer Ganzheit eingebundene Genußqualität des Weines hängt von einer Menge Faktoren ab: von der Rebensorte, als wichtigster Faktor; von der Beschaffenheit des Bodens und der Lage des Weinberges, wo der in Frage stehende Wein wächst;

also vom Großraumklima; von dem Einfallswinkel des Regens und der Sonnenstrahlen, von ihrer Dauer und Intensität, von der Luftfeuchtigkeit, also vom Kleinklima innerhalb der Rebzeilen; von der Sorgfalt bei der Pflege und Düngung der Weinberge; von der Art der Weinlese, von der Art und dem Grade der Pressung; Von der Behandlung der Maische, von der Gärung und der Gärführung im Keller; von den Verfahren, die bei der Behandlung der Möste angewendet werden und endlich von allem, was mit den Abstichen und der Füllung auf Flaschen zusammenhängt.

Schonende Behandlung des Traubensaftes – die Entschleimung

Im Traubensaft, der als erdbraune Brühe aus der Kelter fließt, sind alle möglichen unerwünschten Bestandteile von Beerenhäuten, Beerenstielen, Erdteilchen u. a. enthalten, die vor der Vergärung entfernt werden müssen. Man nennt diesen Vorgang, die Entfernung von Dreck und Speck: »Entschleimen«. Schon im 18. Jahrhundert empfiehlt Johann Christian Fischer von Marktbreit, Franken: »Jedes Faß von 2 Fuder ($\cong$ 2000 l) wird Tage vorher (das ist vor dem Füllen mit abgepreßtem Traubensaft) mit ein Lot Schwefel eingebrannt, worein dann der gekelterte Most gefüllet wird. Nach 24–36 Stunden – denn bis dahin haben sich die groben Teilchen niedergeschlagen – wird der Most auf ein anderes Faß gezogen.«
Nach der gleichen Methode lassen die Winzer heute den Most lediglich über Nacht stehen. Der Entschleimung kommt heute noch die wichtige Aufgabe zu, eventuelle Reste von Schädlingsbekämpfungsmitteln, wie Fungizide, Insektizide, Pestizide und Herbizide zu entfernen, so-

weit dies überhaupt möglich ist und diese nicht schon auf und in den Beeren infolge falscher Pflanzenschutzmaßnahmen qualitätsschädigend wirksam geworden sind. In den Großkellereien wird diese Entschleimung nicht mehr so schonend, umständlich und zeitraubend gehandhabt. Der Traubensaft wird, so wie er von der Kelter fließt, hochtourig separiert (zentrifugiert) und daraufhin auf 120° C kurzzeitig hoch erhitzt. Durch diese beiden maschinellen Vorgänge werden nicht nur alle festen Bestandteile aus dem Traubensaft entfernt, sondern auch jegliches Leben abgetötet und mikrobiologische und biochemische Verbindungen zerstört, die eine plötzliche Hocherhitzung auf 120° C, auch wenn diese nur kurzzeitig ist, nicht vertragen. Daß derartige Prozeduren dem späteren Produkt »Wein« die Ursprünglichkeit nehmen, muß nicht besonders erwähnt werden. Es sei nur an Milch erinnert, die ultrahocherhitzt einen vollkommen anderen Geschmack hat als die Frischmilch.

Die Gärung

Die Gärung des Traubensaftes im Faß kann spontan einsetzen oder verzögert werden, letzteres vor allem dann, wenn die Temperatur im Keller zu tief ist. Früher gab es eigene Gärkeller, die oberhalb des Lagerkellers lagen, oder auch Kellerteile, die zur Zeit der Gärung beheizt wurden.
Die Gärung kann stürmisch oder langsam erfolgen. Für die Erzielung besserer Qualitäten ist die zögernde Gärung erwünschter.
Die Gärung kann schließlich vollständig bis zum letzten Zuckerrest verlaufen oder auch nur teilweise, gewollt oder ungewollt. Ist der Most durchgegoren, spricht man

noch nicht von einem trockenen Wein generell. Der Begriff »Trockener Wein« ist sehr relativ. Weine mit mehr als 12 g/l Gesamtsäure dürfen max. bis zu 9 g/l vergärbaren Zucker haben, solche mit weniger als 12 g/l Gesamtsäure bis zu 4 g/l. Im letzten Fall spricht man von „fränkisch-trocken". Halbtrockene Weine haben bis zu 18 g Restzucker/l. Die Selbstmarkter kennen ihre Fässer genau, ob sie sich besser zur Vergärung eignen oder als Lagerfässer, in die der Jungwein nach dem 1. und 2. Abstich »gelagert« wird. Sie wissen auch, wohin sie die besten Fässer im Keller legen müssen, in denen die hochwertigen Möste bei sauberer Kellerluft und entsprechender Temperatur sich klären und heranreifen. Meist werden sie dorthin gelegt, wo ein leichter Luftzug stets für Kühlung und Sauberkeit sorgt.

Die Vergärung im Holzfaß ist für wertvolle Moste immer noch die beste Methode, um gute Weine zu erzielen. Nur erfordert diese Art des Weinausbaues ungleich mehr Sorgfalt, Zeit und Geld. Auch in den Großkellereien werden trotzdem Holzfässer verwendet. Edelstahl und Kunststofftanks dienen vorwiegend der Lagerung von bereits durchgegorenen Weinen.

Wilde Hefen

Als »Wilde Hefen« bezeichnet man alle Hefearten, die in der freien Natur die Weintrauben anfliegen und mit den Trauben in den Most kommen, wo sie die spontane Gärung, die Transmutation des Traubenzuckers zu Alkohol, die Umwandlung des Traubensaftes zu Wein beginnen und nach einem bestimmten Regelmechanismus die von ihrer ererbten Leistung bestimmt wird, zu Ende führen. Bei der Weinbereitung übernehmen alle Hefen und andere Mikroorganismen Traubensaft als ein Produkt der Rebe, das sich in einem gewissen Gleichgewichtszustand befindet, das während des Wachstums der Rebe und der Reife der Beeren nach einem der Rebe eigenem Regelmechanismus erzielt wurde. Für die Mikroorganismen – insbesondere seien die Hefen genannt – bedeutet der Traubensaft die Umwelt, die ihnen die Möglichkeit ihrer Vermehrung gibt. Dabei führen sie Traubensaft nach einem außerordentlich komplizierten den Hefen eigenen Regelungssystem von einem verhältnismäßig stabilen biologischen Gleichgewichtssystem »Traubensaft« in ein anderes stabiles Gleichgewichtssystem, nämlich des »Weines« über.

Von größter Wichtigkeit für das Werden des Weines in seiner Art und Ausdrucksfähigkeit ist ohne Zweifel die Zusammensetzung der Population der Hefenarten. Wenn man nämlich den Traubensaft mit nur einer ihrer wilden Hefearten vergärt, ist das Endprodukt in qualitativer Hinsicht nicht vergleichbar mit einem Wein, der durch das Zusammenwirken aller auf der Weinbeere der Edelrebenart Vitis vinifera entstanden ist.

Einige Hefearten haben sich bereits bei 2 Vol. % Alkohol erschöpft; andere bei 5 – 7 Vol. %. Lediglich die Saccharomyces-Arten: rosei, uvarum und cerevisiae führen die Umwandlung des Traubenzuckers in Alkohol von 12 Vol. % und je nach Stamm und Umweltbedingungen während der Gär bis zu 15 – 17 Vol. %, vor allem in südlichen Breiten durch.

Heute läßt man den Traubensaft nach erfolgter gewaltsamer Sterilisierung nur mit einer Hefeart, die man als »Reinzuchthefe«, meist Trockenhefe, unter verschiedenen Markennamen kaufen kann, vergären. Diese Maßnahme erleichtert den Ausbau des sterilisierten Traubenmostes, weil erstens keine wilden Hefen den Gärvorgang beeinflussen können und zweitens Moste unterschiedlicher Herkunft, also aus verschiedenen Lagen, egalisiert und damit zu einem Weintyp harmonisiert werden können, was marktwirtschaftlich gesehen von großem Vorteil ist, während dem Weingenießer manche Sorten-, boden- und klimabedingte Eigenarten und Feinheiten naturgewachsener Weine vorenthalten werden.

Das Regelsystem der Gärung

dient dem ganzheitlichen Gefüge des Weines. Seine vielfältigen und zum Teil immer noch nicht voll erfaßten Gärungszwischenprodukte sind von sehr verwickelter Art, die wir als »Botenstoffe« im Sinne der Kybernetik, als »Träger von Informationen« bezeichnen können; denn es ist hinreichend bekannt, daß z. B. mit der Düngung oder Schädlingsbekämpfung im Weinberg gegebene Informationen noch »im Wein beantwortet« werden. Hier sei an quantitativ unterschiedliche Stickstoffgaben, an gewisse Pflanzenschutzmittel, an Trockenheit oder Nässe erinnert, welche die Qualität des Weines zu beeinflussen vermögen.

Für den Leser, der sich etwas tiefer mit dem Werdegang des Weines beschäftigen will, seien folgende Gedankengänge der Kybernetik wiedergegeben, wie sie der Autor 1970 bereits veröffentlicht hat. Unter der Steuerung durch den Kellermeister regelt das mikrobielle System schon während der Entwicklung des Weines dessen spätere Reife, Lagerfähigkeit und vor allem dessen Geschmacks- und Genußwert, d. h. Bekömmlichkeitswert. Im Ausbau der Weine haben wir es mit einem Wechselspiel von »hemmenden« und »fördernden« Faktoren und Abläufen zu tun, nach denen ein harmonischer Gleichgewichtszustand erreicht wird, den wir »Wein« nennen. Wird dieses Wechselspiel vor dem natürlichen Endresultat abgebrochen, bzw. gestört, so ist das Kollektiv der

Hefen bestrebt, die Störung zu umgehen, um das ihnen biologisch gesetzte Ziel zu erreichen, bzw. herzustellen. Es ist durchaus vorstellbar, daß rein technisch ein Zwischenprodukt zwischen Most und Wein hergestellt werden kann, das in der Weiterentwicklung nur noch physikalischen und chemischen Mechanismen vom »Labor« aus gesteuert und für seinen Endzustand zwangsweise stabilisiert wird. In solchen Fällen müssen wir von einem technisch bedingten Gleichgewichtssystem sprechen. Je höher, organisierter, differenzierter und komplizierter sich die technische Weinbereitung entfaltet, ohne den biologischen Gegebenheiten Rechnung zu tragen, um so sicher müssen aber physikalisch oder chemisch gesteuerte Regelmechanismen wirksam werden, die jedoch die biologische Regulation solange nicht ersetzen können, wie wir es noch mit Traubensäften als biologisches System zu tun haben. Erst wenn der biologische Anteil an einem Wein nicht mehr gegeben ist, wenn er vollkommen durch Sterilisierung eleminiert wurde, läßt sich ein rein technisches System aufbauen, wie wir es in Großkellereien zum Teil bereits erleben.

Den Vertretern, die im Wein mehr erkennen, als ein rein kausalgesetzlich bedingtes physikalisch-chemisches Gefüge, ist diese Auffassung keineswegs sympathisch. Sie vertreten die berechtigte Erkenntnis, daß das Ganze immer mehr ist als die Summe seiner Teile. Es ist auch ein Unterschied, ob man ein physikalisch-chemisches oder ein biologisches System betrachtet.

Den Mechanisten ist die Feststellung, daß neben dem Materiellen eines Organismus auch noch etwas anderes existiert – nennen wir es einmal das »Psyche-Energetische« – stets unangenehm gewesen. Sie erklären, daß derartige wortunterschiedliche Begriffsdefinitionen Ursache und Wirkung als gesonderte Funktionen ein und derselben materiellen Organisation kennzeichnen. Das soll auch keineswegs bestritten werden. Aber im Effekt sind sie doch grundverschieden, so verschieden wie Materie und Energie, wenigstens soweit man heute noch einen Unterschied machen darf (dazu s. S. 123–132).

Vom Traubensaft zum Wein

Der Bitzler

Wenn der Traubensaft zu gären beginnt, dann rührt sich der Most. Langsam und zart beginnen die Gäraufsätze zu läuten. Schmeckt man in diesem Stadium den Most, dann verspürt man ein leichtes »Bitzeln« auf der Zunge; die erste Probe eines werdenden Weines, den der Kellermeister in diesem Stadium »Bitzler« nennt. Spielt dazu aus der Tiefe des Kellers ein Streichorchester Melodien von Mozart, dann kommt eine eigenartige Stimmung auf, die jener vergleichbar ist, die man beim ersten Kuß in der Welt des Weines empfinden könnte.

Der Federweißer

Doch bald stürmt es gewaltig, es brodelt und braust. Der Most wird warm und nimmt eine gelblich-weiße (daher der Name) Färbung an. Die Hefen sind in voller Vermehrung, die höchste Stufe ihrer Umwandlungstätigkeit des Traubenzuckers zu Alkohol. Aber das nicht allein. Manche Prozesse laufen nebenher, die noch unbekannt sind. Der Kohlensäureausstoß ist stärker geworden. Vorsicht ist im Keller jetzt geboten, wenn sich Kohlendioxyd, das schwerer als Luft ist, zu Boden senkt und die Kellerluft zu einem Kohlendioxydsee wird, der das Atmen unmöglich macht.

Welch eine Wucht in diesen brausenden und tosenden Mostmassen steckt, habe ich 1952 in Argentinien erfahren, besser noch sehen können. In San Raffael, in der Kellerei Arizu standen 11 Stahlbetonbottiche mit je 11000 hl Fassungsvermögen. Das Gärloch hatte einen Durchmesser von ca. 2 m. 12 Kollegen umstanden das Gärloch in respektvoller Entfernung, nicht ohne sich gegenseitig festzuhalten, um nicht durch die entweichenden Gase das Gleichgewicht zu verlieren. Die aneinander gereihten Bottiche wankten und schwankten unter der Wucht der brausenden Gärmöste.

In diesem Stadium nimmt der Most dank der sich vermehrenden Hefen eine milchig-gelbe Färbung an. Seine Temperatur beträgt 20–30° C.

Mozart wird abgelöst durch Wagner und das Streichorchester durch ein Blasorchester mit Paukenschlag und Trommelwirbel!

Der Bremser:

Manche Unkundige bezeichnen den gärenden Most schlechthin als Bremser, in Österreich heißt er Sturm, Sumser oder Sauser. Die Stadien der Gär sind jedoch deutlich zu unterscheiden. Hefen, die ihre Tätigkeit beendet haben, sterben ab und sinken zu Boden. Das Absterben der gärstarken Hefen geht nicht auf einmal vor sich. Nur allmählich reduzieren sich die Saccharomyces-Hefen, gleichsam als wollten sie die abklingende Gärung bremsen, um nur langsam und geschmeidig die Gärung zu beenden. Die Farbe des Mostes wechselt von gelblich-weiß zu einem trüben grau-weiß und schließlich zu einem dunklen grau; die Temperatur sinkt auf die allgemeine Kellertemperatur zurück. Da die Zeit des eigentlichen Federweißen relativ kurz ist, wird in den Gaststätten durchweg der Bremser als Federweißer angeboten.

Dieser hat verständlicherweise nicht mehr die durchschlagende Wirkung wie der warme Federweißer, erfreut sich aber einer Beliebtheit, daß einige Gemeinden sogar Bremserfeste veranstalten, die wie Weinfeste aufgezogen werden und eine erste Huldigung an den neuen Wein sein sollen.

Und jetzt spielt die dörfliche Blasmusik Schillers und Beethovens: »Seid umschlungen Millionen... Diesen Kuß der ganzen Welt«...

Abstiche und Jungwein

»Mit dem ersten Abstich nicht eilen, mit dem Zweiten nicht weilen«, so sagten es die alten Häcker. Wenn die Gärung restlos gut verlaufen ist, wird der Wein von der Hefe genommen, d. h. er wird abgestochen. In 1–3 Abstichen erfährt der bauernhelle Most eine Flaschenreife. Im allgemeinen dauert die Zeit von der Kelterung bis zum Abfüllen auf Flaschen 5–12 Monate. Mit der modernen Kellertechnik gelingt es, schon 4 Wochen nach der Lese den ersten Jungwein blitzblank und stabil auf den Markt zu bringen. Trotz ihrer intensiv chemischen Behandlung zeigen sie alle Unarten eines unfertigen Weines. Aber da sie über die notwendigen (Nach dem Gesetz) Alkoholgrade verfügen, dürfen sie den Namen »Wein« tragen.

Wie man Wein trinkt

»Daher: Man muß bey dem Wein nicht seyn,
wie dazumahl, der Himmel, den Gott dem
Abraham anzusehen befohlen, dazumahl war
er voller Stern. Man muß bey dem Wein nicht
beschaffen seyn wie die Krüg zu
Cana-Galiläa; diese waren dergestalten voll
gefüllt, daß nicht mehr hineingegangen ist.
Man muß bey dem Wein nicht seyn
wie der alte Lamech, so den Cain für
ein Wildstück angesehen.
Man muß bey dem Wein nicht seyn
wie ein Engel, der solange saufet,
bis er herabfällt.
Man muß bey dem Wein nicht seyn,

wie ein Badeschwamm, der vor lauter Saufen
ganz angeschwellet.
Man muß bey dem Wein nicht seyn
wie Charta bibula oder Fließpapier, so alle
Nässe an sich ziehet, sondern mäßig und
züchtig, damit Vites und Vitis, Bacchus
und Bauchus nicht gar zu gute Freunde
werden.«

Abraham a Sancta Clara 1644 – 1709

Weinkultur im industriellen Zeitalter

Mehr und mehr erscheint der Wein jetzt auf dem Tisch
des einfachen Volkes, dessen Sinn und Geist er beflügelt,
das Gemüt von Minderwertigkeitskomplexen befreit
und dem Herzen Mut einflößt. Statt 5 l im Jahre 1950
sind es heute 26 l/Kopf der Bevölkerung in der Bundesrepublik = 15 Mill. hl/Jahr.
Je mehr sich die Kultur im industriellen Zeitalter entwik-
kelt, um so höher wird der Lebensstandard des Volkes
werden, um so anspruchsvoller der Mensch an seine
Umgebung, an seine Freizeit, an eine neue Kultur. Der
Wein ist dazu geschaffen, das Niveau einer menschlichen
Lebensgemeinschaft zu heben, Gefallen am Schönen und
am frohen Leben zu entwickeln, die Konversation zu
lockern und zu den Meisterwerken in Kunst, Literatur
und Musik zu führen.

»Aber es ist ein Erbarmen anzusehen,
wie sie trinken, ohne alle Applikation,
ohne Stil, Schatten und Licht, so daß
sich kaum die Spur einer Schule findet;

höchstens Kolorit, was die Übermütigen
dann auch gleich sich und der Welt auf
die Nase binden und zur Schau aushängen.«

Ludwig Tieck 1783 – 1853

Jean Jacques Rousseau (1712 – 1787) meint
entschuldigend dazu:
»... Die Liebe zum Wein ist kein Verbrechen
und ruft solche auch nur selten hervor;
der Wein macht den Menschen närrisch,
aber nicht schlecht. Er ruft gelegentlich
vorübergehende Streiterei hervor, vermag
jedoch Hunderte dauernde Freundschaften
zu gründen. Zumeist sind die Trinker
herzlich, offen, gutmütig, aufrichtig,
gerecht, zuverlässig, mutig und edelsinnig,
unbeschadet der Fehler. Könnte man ein
gleiches von den übrigen Getränken sagen?

Hierin passen *Claude Tilliers* Worte:

»Er liebte den Wein, nicht um des Trinkens-
willen, sondern wegen jener Narrheit von
einigen Stunden, die er verschafft, und
die aus geistreichen Menschen solch
reizenden und originellen Unsinn spricht,
daß wir zufrieden wären, wenn der Sinn
immer so sprechen wollte.«

Georg Gottfried Gervinus, Professor der
Geschichte, einer der bekannten
»Göttinger Sieben«, hat 1836 eine wenig

bekannte Schrift »Geschichte der Zechkunst«
veröffentlicht, in der folgende Passagen
noch heute in unsere Zeit passen und
wörtlich wiedergegeben werden sollen:

»Weil es mit unserer geistigen Bildung
zusammenhängt... Da von dem Wesen der
Geselligkeit und den Formen der Gesellschaft
alle menschliche Kultur ausgeht, so wird
sich in ihrer Geschichte ausführlich
zeigen, was man lange geahnt, oft
angedeutet, häufig auch belächelt hat,
in wie großer und enger Beziehung der Wein
mit der Kultur der Staaten, mit dem
Aufblühen freier, menschlicher Bildung
steht, wie die Trinkkunst mit dieser
Bildung und Kultur allzeit Schritt hält,
sinkt und steigt. Denn nicht zu jeder
Zeit verstanden die Menschen gleich weise
und gut diese Kunst zu üben; nicht zu
jeder Zeit sind sogar die Formen, unter
denen die Kunst geübt wird, gleich
oder willkürlich, und es ist ein innerer
Fortgang von den blutgierigen Weingelagen
des Aegistos zu denen der Philosophen bei
Plato, von den Schenken Hephästos
zu Ganymed und Hebe, von dem schweren,
dumpfen Metallbecher zu dem durchsichtigen
und gewölbten Kristallglase in Lukian's
oder unserer Zeit, das die Farbe zeigt,
die Blume hält und den Klang fördert.«

Und so lernte ich das Weintrinken, den Wein verstehen
und ihn zu würdigen: Ich war im fünften Semester in
Innsbruck Student. Das war im Sommer 1930. Das Geld

in den Beuteln aller Studenten war sehr knapp. Ein Glas Bier konnten wir bisweilen noch bezahlen, aber Wein konnten wir uns höchstens alle 8 – 14 Tage leisten, es sei denn, ein gütiger Geist spendierte uns einen »Terlaner«. Solche guten Mäzene gab es jedoch nur in besten Weinkneipen. Eine davon war im »Goldenen Dachl« (heute Standesamt). Dorthin lenkte uns 12 Kommilitonen ein gütiger Zufall. Wir hatten ein Zimmer für uns und jeder trank ein Gläschen vom billigsten Wein. Dazu sangen wir bald frohe Studentenlieder.

Was wir im Stillen gehofft hatten, wurde Wirklichkeit. Die Kellnerin brachte uns einen 5 l Humpen mit goldfarbenen Muskateller auf den Tisch, dazu 12 feingeschliffene Stengelgläser. Wir waren nicht nur freudig erstaunt, sondern auch beglückt darüber, einen uns wohlgesinnten Spender gefunden zu haben.

»Dort im Nebenzimmer sitzt ein freundlicher Herr, er kann etwa 40 – 50 Jahre alt sein, gab mir den Auftrag, Euch Bub'm 5 Liter von dem Wein zu bringen, den er auch gerade trinkt«, sagte die Kellnerin.

Wir tranken unseren Terlaner schnell aus, füllten unsere Stengelgläser mit dem duftenden Muskateller und zogen allesamt zu dem uns noch unbekannten Mäzen. Wir waren überrascht. Der edle Spender war kein Geringerer als *Ortega y Gasset,* der sich auf einer Vortragsreise befand und dabei Gelegenheit genommen hatte, das »Goldene Dachl« allein aufzusuchen. Wir umringten ihn und mir war es zugedacht, ihm unseren Dank auszusprechen. »Ach, wissen Sie«, war die Antwort, »Ich freue mich immer, wenn ich in diesen schweren Zeiten Studenten finde, die bei wenig Weingenuß schon froh sind und singen können«.

Im 4. vorchristlichen Jahrhundert hieß es in Griechenland u. a. ... »Wer bei geringstem Weingenuß sobald fröhlich wird, und zu singen beginnt, der ist ein echter

Athener. Seht, liebe Kommilitonen, ihr seid echte Athener. Ich aber trinke meinen Wein allein. Er macht mich still und gütig, daß ich mir erlaubt habe, ihnen einen Humpen Wein zu stiften. Ich wäre nach der altgriechischen Auffassung zum Philosophen geeignet. Nun, ich bin einer geworden. Aber ich trinke meinen Wein auch gerne in Gesellschaft, wie es das Gesetz der obersten Klasse der Weingenießer war und trinke und singe mit ihnen«. Sprach's und setzte sich zu uns an unseren Tisch. Mit dem Muskateller gab er uns eine Einführung in die Kunst des Weingenießens. Und er sagte eigentlich alles das, was große Weinkenner und Weinliteraten später gesagt und geschrieben haben. Und wir bekamen Ehrfurcht vor dem Wein. Der Wein lockerte das Gespräch und wir wurden nicht müde zu fragen und immer wieder zu fragen und vergaßen dabei nicht das Trinken. Es blieb nicht bei den 5 l und auch nicht beim Muskateller. Da wurde ein 1926er aus dem Weingut Jerusalem im jugoslawischen Teil der Stadt Radkersburg, Radgona, auf den Tisch gebracht; Wein von der Bouviertraube, einem Muskatsilvaner ähnlich, von *Bouvier* selbst gezüchtet, den ich 1938 persönlich in seinem Weingut aufsuchen und kennenlernen konnte. Der Wein dieser Bouviertraube konnte sich durchaus mit dem Muskateller messen. Nur war er bescheidener in seinem Bukett. *Ortega* stellte die beiden Weinsorten gegenüber. Er machte uns auf die Kirchenfenster aufmerksam, die beide Weine an den Wänden der feinen Weingläser hinterließen, wenn man den Wein behutsam schwenkte. Und in diesen »Kirchenfenstern« glänzte der Wein schöner als zuvor. Das ist »Glycerin« erklärte uns unser Weinmäcen, er entsteht aus der Sulfitgärung der Hefen, ist sozusagen der Urin der Hefen. So schön sie im Wein zu sehen ist und so sehr sie bei großen Weinen auch ihre innere Kraft und Stärke andeutet, so will ich ihnen doch verraten, daß Glycerin im Weltkrieg zur Herstellung von Dynamit verwendet wurde. Allein 1100 Tonnen Glycerin monatlich wurden auf biologische Weise hergestellt. Hefe war die kriegswichtigste Pflanze und gerade das Schicksal will es, daß ausgerechnet die Weine der Kriegsjahre von hervorragender Qualität waren; so der 1915er und der 1917er.

Doch lassen wir die ernsten Dinge, die man zwar wissen sollte, über die wir heute abend aber nicht sprechen wollen. – Anni, bringen Sie doch jedem Kommilitonen noch einen Muskateller und einen Veltliner aus der Wachau, wo er würziger wächst als in jenem Tal, von dem er seinen Namen trägt«.

Bald hatte jeder von uns drei Gläser verschiedener Weine vor sich und nun begann eine Weinprobe und eine Vorlesung, die ich nie vergessen habe. *Ortega* erzählte und erzählte, bald witzig, fröhlich und humorvoll, bald ernst und wissenschaftlich und dazwischen immer zum Singen bereit. Wir wurden des Fragens nicht müde und blieben nie ohne weinkundige Antworten. Es war bereits drei Uhr nachts, als wir unseren Weinmäzen *Ortega y Gasset* in sein Hotel an der Maria-Theresia-Straße brachten. Mit ihm summten wir ein Weinlied: »Es wird ja auch der junge Most gekeltert und gepreßt...!« *Stefan Anadres* berichtet in seinem Buch »Weinpilgerreise« ausführlich, wie man Wein trinkt. Als ich dieses Büchlein zum ersten Male las, wurde ich an den herrlichen Abend des Jahres 1930 mit *Ortega y Gasset* erinnert.

In Erinnerung an diesen wunderbaren humanistischen dionysisch-bacchantischen Abend und in Verehrung für diesen großen Philosophen und Weinmäzen habe ich einer neuen Rebensorte seinen Namen gegeben:

»Ortega«

Das klare durchsichtige Glas bietet dem Auge, das als erster Sinn erkennt und genießt, die Farbe des Weines. Aus blauen, rubinfarbenen oder gelben Gläsern zu trinken ist darum ebenso unsinnig und barbarisch, als stellte jemand einen Rosenstrauß in den Kassenschrank. Nur Gewächse von der Mosel, der Saar und Ruwer können in leicht grünlichen Gläsern kredenzt werden, weil diese Farbe der Art des Mosels entspricht. Da die Hand am Glase, um die Duftstoffe mit der Luft zu vermischen, den Wein in eine leicht kreisende Bewegung bringt, sei das Glas nur bis zu eines Fingers Breite unterhalb des Randes gefüllt. Die großen Glastulpen, die noch heute zum Kredenzen von Schnäpsen und Cognac dienen, könnten auch einem edlen alten Wein die Möglichkeit bieten, seine Duftstoffe besser zu entfalten; denn die Hand kann in diesem kleinen gläsernen Meer die funkelnde Feuchte zum Schwanken und Kreisen bringen, daß der Kreis des Glases zu einem Zauberbanne wird, über dessen gläsernen Rand jene Düfte emporsteigen, die wir die Blume des Weines nennen. Was aber die Zunge vom Weine wahrnimmt, das ist sein Körper. Zwischen Blume und Körper liegt das Aroma, das von Nase und Zunge zusammen wahrgenommen wird.

Und nun also der erste Schluck – klein muß er sein – über die Zunge muß er laufen. Sie nimmt ihn auf und drückt ihn gegen den Gaumen, daß über die Zungenränder und -wurzel der Wein sich wie ein Tau breitet. Sicherlich sitzt in diesem Augenblick, da wir den Wein erkennen, die Seele in der Zunge. Wir schließen die Augen, die von der Farbe des Weinen noch voll sind, und die Zunge beginnt ihr Fest der Begegnung, des Erkennens, der Liebe. Dem ersten, fast zeremoniellen Schluck, in welchem die Flasche sozusagen ihre Visitenkarte abgibt, folgt der zweite, der entscheidende. Der Mund macht dabei eine Bewegung, daß die Leute glauben, wir kauten den Wein. In Wirklichkeit nimmt die Zunge ein Weinbad. Dieselbe Zunge, die bei vielen Völkern gleichbedeutend ist mit dem Wort »Sprache« wird nun zum Aufnahmeorgan, zum Ohr für die Mitteilungen, für die Sprache des Weines.

Und nun:

Prosit, Salute,
a votre santé, salud!

Wein probieren...

Es prüfen die kundigen Zungen
Den Wein, der zur Probe gestellt.
Es wird nicht gezecht, nicht gesungen,
Nur Andacht beseelt diese Welt.
Gold strahlt aus den Gläsern, die blitzen;
Die Blume steigt zart voller Duft
Hinauf zu den Nasenspitzen,
Die schnuppern die göttliche Luft.
Ein Schlückchen schlürft kullernd bedächtig
Die Zunge entlang bis zum Schlund.
Ein zweites noch — das ist verdächtig —
Schlüpft in den verlangenden Mund.
Gesprochen wird nichts, nur ganz stille
Erhebt sich ein Augenaufschlag

In ihm drängt der Köstlichkeit Fülle
Sich schmunzelnd und ehrlich zu Tag.
Ein Leuchten geht stumm durch die Männer.
Ganz leise nickt einer »Ja, ja!«
Kein Wort brauchen zünftige Kenner,
Ihr Urteil ist stillschweigend da.

Rudi vom Endt

Wein probieren –
Kritik des feinen Geschmacks

Wein probieren, d. h. ihn analysieren, erkennen, beurteilen, bewerten; also nicht zu verwechseln mit Weinproben gesellschaftlicher Art, wie festliche Weinproben
oder Werbeweinproben, bei denen die Weine vorgestellt
und entsprechend der Feier und dem Zwecke mit passen-
den Anekdoten und Versen der mehr oder weniger auf-
merksamen Gesellschaft näher zu bringen versucht wird.
Hier wird unter »Wein Probieren« das schulmäßige Analysieren, daraus das »Erkennen« der Weineigenschaften
und zusammenfassend die subjektive Beurteilung und
aus dieser die Bewertung des Weines verstanden.
Wein trinken ist die tägliche Übung, um Wein genießen
zu lernen. Es ist in der Tat ein tägliches Vergnügen,
wenn Wein trinken allmählich zur Lust wird.
Wein probieren aber ist ein Studium, in welchem der
Bacchusjünger in einer sich immer wiederholenden und
wechselnden Prüfung seine eigenen Geschmacksfähig-
keiten, sein eigenes Geruchsvermögen und die Klarheit
seines Augenlichtes testen und entwickeln kann. Wenn
er Umfang und Exaktheit seiner subjektiven Empfindungen klar darzustellen vermag, dann erst wird er einen
Wein nach Art und Charakter beurteilen und werten

können. Mit allgemeinen Ausdrücken, wie man sie auf Preislisten, in Angeboten der Gaststätten findet, ist es nicht getan.

Um einen Wein zu probieren, ist eine vorhergehende chemische Analyse nicht notwendig. Ich würde sie zwar in der Hinterhand bereit halten, aber sie ebenso wenig vor der Probe zeigen, wie den Namen des Weines und seine Herkunft angeben. Man geht also ganz unbelastet ans Werk.

Weine in diesem Sinne zu probieren, ist außerordentlich wichtig. Dazu einige Beispiele aus eigener Erfahrung: Anfangs der 60er Jahre unseres Jahrhunderts wurde wohl der größte Weinskandal der Geschichte aufgedeckt und zwar nur durch einen weinkundigen Weingenießer. 50 Millionen zwei Liter »Rotwein« in der Souvenir-Fiasko, mit Bast umwickelt, waren bereits über mehrere Jahre in die Bundesrepublik und nach Großbritannien unter einem bekannten Namen importiert, hatten alle chemischen Analysen ohne Beanstandung durchlaufen, bis ein Weinschmecker an diesen »Rotwein« kam und ihn beanstandete. Jetzt bequemten sich auch die Chemiker andere als vorgeschriebene Untersuchungsmethoden anzuwenden. Was sie jetzt erkannten, war unglaublich. Von den auf dem Etikett angegebenen Trauben waren lediglich teilweise Trester verwendet worden, im übrigen aber Substanzen und ihre nach dem Gesetz erforderlichen Verbindungen in Wasser oder Alkohol gelöst und das Ganze technisch rot gefärbt, vermutlich mit dem stark färbenden Sekret der Kakteenblattläuse von Lanzerote. 330 Rechtsanwälte wurden bemüht. Als nach Gerichtsbeschluß die in Bologna noch lagernden 30 000 Hektoliter beschlagnahmt werden sollten, waren auch diese verschwunden.

Ein anderes Beispiel: Während der Besatzungszeit wurden aus Frankreich waggonweise Hybridenweine für billiges Geld in die von Frankreich besetzte Zone geschleust und nach Anfärbung der weißen Weine mit Zinnober in die englische und amerikanische Besatzungszone als französische Rotweine verkauft. Solche und ähnliche Fälle der Kunstweinherstellung könnten noch mehr aufgezählt werden. Man hätte meinen können, die Kunstweinfabrikation des 19. Jahrhunderts hätte Urstände gefeiert. Im Zuge dieser Maßnahmen auf weinwirtschaftlichen Gebieten wurden auch private Weingüter und Winzer mit Methoden vertraut, die dem Verlangen der ausgehungerten Bevölkerung nach Zucker gerade recht kamen. Eine süße Welle setzte ein.

Es blieb aber leider nicht beim Zucker allein. Die Flüssigzuckeraffäre, die Germanisierung ausländischer Weine, teilweise sogar zu Müller-Thurgau-Weinen, sowie die mit reichlich Zuckerwasser gestreckten Weine, die selbst die amtlich verordente sensorische Prüfung durchlaufen hatten, werden die Weinwirtschaft wohl noch einige Jahre beschäftigen.

Um die Qualität eines Weines zu erkennen, muß er sowohl physikochemisch wie sensorisch analysiert werden, wobei beide Methoden unabhängig voneinander durchgeführt werden. Die physikochemischen Methoden mögen noch so ausgeklügelt sein, so reichen sie doch nicht aus, das Wesen eines Weines zu identifizieren. Im vergangenen Jahrhundert haben sogar die amtlich festgesetzten Analysezahlen eine Blütezeit der Kunstweinfabrikation eingeleitet und sie scheinen es heute wieder zu tun. Chemische Analysen können niemals die sensorische Prüfung ersetzen; denn was chemisch nachweisbar, kann auch auf chemischem Wege dem Weine zugeführt werden.

Man kommt also um eine sensorische Prüfung – in Österreich sagt man: »organoleptische« – nicht herum.

Die Verkostung, die Beurteilung und Bewertung des Weines, durch den, der den Wein selbst trinken wird oder ihn in seinem Keller aufbewahrt und reifen läßt, um sich in späteren Zeiten daran zu erfreuen, ist nicht die eines Weinkontrolleurs, der durch Schule und Praxis geschult, Fehler und Vergehen gegen das Weingesetz ausfindig zu machen hat, sondern eine persönliche Analyse, die klare Weinkenntnisse und Weinerkenntnisse zur Voraussetzung hat. Diese sollten daher wenigstens bekannt sein, um dem eigenen Geschmacksempfinden ein fehlerloses Fundament zu verschaffen. Darüber hinaus ist das Geschmacksempfinden in Bewertung und Beurteilung immer eine höchst persönliche, subjektive Abrundung für das Lustempfinden beim Weintrinken, die kein anderer dem Weingenießer vor- noch einreden kann.

Man merke sich:

1. Einen herben oder auch harten Naturwein kann man kühler servieren, um ihn »weicher« erscheinen zu lassen.

2. Frische, zu junge Weißweine, die nicht hart sind, schmecken bei tiefer Temperatur hart, d. h. also, daß junge milde Weine niemals zu kalt serviert werden dürfen. Temperatur: 10° – 12° C.

3. Süße Weine erzeugen ein Durstgefühl und erhöhen das Verlangen nach Mineralwasser oder Bier. Durch zu starke Kühlung kann man zwar die moderne Qualität verdecken; zu warm gereicht, lassen sie den Zukker zu deutlich erkennen und wirken abstoßend. »Sie schnüren dem Weinkenner die Kehle zu.«
   In den meisten Gaststätten herrscht leider kein gutes Klima für den Wein als Schoppen. Der Kellner erhält

den Wein nicht mit Kellertemperatur, sondern aus Flaschen, die schon tagelang im Eisschrank gelegen haben, oder die aufrecht bei erhöhter Temperatur unter dem Büfett standen, oder aus Pappkartons und Blechbüchsen. Die wenigsten Büffetiers sind geschulte Weinschenker! Leider gibt es Weintrinker, die immer nur sehr kühl temperierten Wein verlangen. Diese sind für den edlen Weingenuß abzulehnen, wie Kellner, die vom Wein nichts verstehen.

4. Rotweine werden mit einer Eigentemperatur von 18°—22° C gereicht. Bei dieser Temperatur ist Rotwein am bekömmlichsten und entwickelt am besten seine Qualitäten. Die in ihm enthaltene Gerbsäure wird nicht zu streng befunden. In einer guten Gaststätte sind die Rotweine in hinreichender Anzahl und bei richtiger Temperatur gelagert. Zu kühle Rotweine dürfen nicht plötzlich erwärmt werden. Man lasse einen zu kühl servierten Rotwein einige Zeit offen oder im Glas auf dem Tisch stehen und überbrücke durch eine geschickte Unterhaltung die Zeit bis zum Antrinken. In seinem Zimmerschrank sollte der Weinfreund immer einige Flaschen Rotwein bereit liegen haben.

Als Gastgeber sollte man berücksichtigen, daß Weißweine etwa eine Viertelstunde vor dem Einschenken entkorkt sein sollten; Rotweine sogar eine Stunde vorher. In beiden Fällen entfaltet sich das sortentypische Bukett. Bisweilen begegnet man in Kreisen, die trockene Weine vorziehen, der Auffassung, daß trockene Weine grundsätzlich sauer sein müssen und naturbelassen vergoren wurden. Beide Auffassungen sind irrig; denn trockene Weine können je nach Sorte und Herkunft, – säuerlichherb bis mild sein.
Trockene Weine sind im allgemeinen genau so angereichert wie süß gemachte Weine, nur daß bei ersteren

der vergärbare Zucker in tatsächlichen Alkohol umgewandelt und keine Süßreserve zugesetzt wurde.

Mit den Augen

»Wein, der das Glänzen des Glases hinzunimmt
in sein Inneres Geleucht!«

Rainer Maria Rilke

Die Beurteilung eines Weines durch den Gesichtssinn ist außerordentlich wichtig, ist doch die Inaugenscheinnahme eines Weines die erste Begegnung mit dem Wein, den man zu trinken gedenkt. Ich persönlich habe mich immer zuerst an den zitternden, aufgelösten und gebrochenen Strahlen flackernder Kerzen auf der schneeweißen Tischdecke erfreut, gleichgültig, ob es sich um einen Weißwein, oder um einen Rotwein handelte. Es ist schon lustig, sich das anzusehen, zumal man immer einige Minuten warten soll, ehe man sich kritisch dem Weine zuwendet.
Gewiß ist nicht immer eine weiße Tischdecke zur Hand. Dann hebt man das nicht ganz gefüllte Glas gegen das Licht, sei es nun die Sonne, eine Lampe, oder eine Kerze. Blitzblank, glanzklar und kristallhell muß der Wein sein, ob er nun dunkelrot oder grünlich-gelb ist. Die Farben der Weiß- wie der Rotweine können unterschiedliche Tönungen haben, je nach Sorte, Boden, Behandlung.

Bei Weißweinen unterscheidet man folgende Abstufungen:

Farblos, hellfarbig, hellgelb, grünlich-gelb, gelb-gold-gelb, strohfarbe, bernsteinfarben, topasfarben (auch bei

63

alten, überalterten Rotweinen), hochfarbig (braun, blau-schwarz-metallisch-schillernd) (als Fehler).

Bei Rotweinen macht man bezüglich der Farben zwei Unterstufen:

Rosé-Weine: blaßrot, ziegelrot, reinrosé, oder lebhaft-roseé, clairet.

Rotweine: lebhaft-rot, rubin, Kirschenrot, blutfarben, dunkel-ziegel-rot, bordeauxrot, dunkelrot, purpurfarben, braunrot (bei alten Weinen), topasfarben (bei überalterten Weinen), blau-violett-rot (Fremdfarben deuten auf Deckrotweine von Hybridenreben hin)

Neben der Farbe sind vor allem die Klarheit und Sauberkeit sichtbare Zeichen einer Weinqualität.
Flaschenweine, – um solche handelt es sich für den Letztverbraucher – waren zur Zeit ihrer Prüfung bestimmt ganz klar, sonst hätten sie keine Prüfnummer bekommen. Es kann aber dennoch nach der Prüfung vorkommen, daß Weine auf der Flasche trüb werden. Bei Rotweinen ist dieses eher der Fall als bei Weißweinen. Die Ursachen können von mancherlei Art sein. Auf jeden Fall haben sie an Qualität eingebüßt. In Gasthäusern sollten trübe Schoppenweine zurückgewiesen werden. Das gleiche gilt für Weine, die im Geruch einen Fehler erkennen lassen.
Bei machen Weinen, meist sind es sogar die von besserer Qualität, bilden sich feine Kristalle, die sich am Boden im Glas absetzen. Es handelt sich um Weinstein: Kalium-, Calcium- oder seltener Natrium-Salze. Solche Ausfällungen beeinträchtigen nicht die Qualität, sondern können eher dafür angesehen werden, daß es sich um einen hochwertigen Wein handeln muß, wenn sie auch für das Au-

genlicht gerade nicht angenehm sind. Sie sind kein Grund, einen Wein in einer Gaststätte zu beanstanden.

Für jene Weinfreunde, die ihren eigenen Weinkeller besitzen, sei herausgestellt, daß auch in ihrem Keller die Gefahr der kristallinen Ausscheidung bestanden hat. Daher muß man die Flasche sehr behutsam aufnehmen. Auf keinen Fall darf man sie aus Neugierde auf den Kopf stellen, um zu prüfen, ob sie Weinstein abgesetzt hat. Ebenso ist das Schwenken und Schütteln zu unterlassen, wie man auch sehr vorsichtig Kapsel und Korken entfernen soll. Schließlich sollte man die Kunst des Einschenkens beherrschen, an der es in unseren Gaststätten leider so sehr fehlt. Wenn man einen Wein mit Weinstein richtig »dekantiert«, kommen keine Kristalle mit ins Glas.

Bisweilen aber schwimmen Kristalle frei im Wein, vor allem bei jungen Weinen, die zu früh abgefüllt wurden. Der Wein »glitzert«, sagt man.

Beim Einschenken und anschließenden Kreiseln des Weines im Glase läßt sich der Flüssigkeitsgrad des Weines ermessen, ob er dünnflüssig, normal, dick, ölig oder gar zähe und schleimig ist.

Der nicht durch Fehler während der Behandlung der Jungweine oder durch Bakterien oder Hefen verursachte Viskositätsgrad schwerer und öliger Natur läßt Rückschlüsse auf den Extrakt- und Zuckergehalt zu, wie auch die an Glaswand sich bildenden Kirchenfenster Merkmale des Glyceringehaltes nobler Weine sind.

Wiederholt wird man die Beobachtung machen, daß der Wein nach dem Entkorken aufschäumt wie Sekt. Die Ursachen können drei verschiedene sein:

1. Wenn der Wein zu früh abgefüllt wurde, enthält er noch Kohlensäure aus der Gärung.

2. In der modernen Kellertechnik wird einigen Weinen beim Abfüllen Kohlensäure zugesetzt, damit sie länger

frisch erscheinen sollen. Doch ist die Lagerzeit bei mit Kohlensäure versetzten Weinen begrenzt. Sie verlieren mit der Zeit an Geschmacksqualität.

3. Wenn Weine auf der Flasche eine Nachgärung durchgemacht haben. In solchen Fällen ist der Wein trübe und Hefen haben sich in der Flasche abgesetzt. Kohlensäure, die auf diese Weise sich gebildet hat, setzt sich im Trinkglas als länger anhaltender Schaumkranz fest. Auch diese Weine haben immer und erheblich an Geschmacksqualität eingebüßt.

Trübe Weine sollten in Gaststätten grundsätzlich zurückgewiesen werden. Dem Schenkwirt entstehen keine Unkosten, da er solche Weine vom Erzeuger ersetzt bekommt. Ein guter Wein leuchtet und funkelt und findet seinen Widerschein in den funkelnden Augen seines Gegenübers.

»Welcher Himmel kann sich zwei Liebenden
auftun, wenn sie ihre Gläser mit dem
edlen Getränk › Wein ‹ aneinander klingen
lassen, im hellen feinen Glockenton,
oder im dumpfen summenden Klang, und wenn
zum Blitzen des Glases ein Augenpaar
aufleuchtet, das Geheimnis eines
liebenden Herzens unvermutet offenbarend.«

Otto Gillen 1970

Mit der Nase

»Die Welt der Düfte ist wunderbar
und gewaltig«
»Ich seh Dich nicht

Und dennoch mein' ich Dich zu fühlen;
Nur schwer erfaßbar bist Du,
Duft des Weines;
Der Blume Schönheit scheinst Du
oft zu gleichen;
Dem weiblichen Geheimnis stehst Du nah!
Im Doppelsinn dem Janus folgend
Vermagst Du jugendliche Gier zu dämpfen
Und Feuer anzuregen aus der Glut
des Alters.
Doch nur dem Wissenden gewährst
Du die Erlaubnis, sich Dir zu nähern
Und sich Deiner zu bedienen
Und der Erfahrene weist dem Suchenden
den Weg,
Den er einst selbst beschritten«

F. C. Czygan 1983

Im Bukett des Weines finden wir die schönsten und sau-
bersten Duftkomponenten aus der Vielzahl der Düfte in
Kompositionen vor, in die man sich wie in eine Melodie
der Düfte hinein versenken möchte, jeder nach seiner
Art. Da das männliche Geschlecht im allgemeinen von
Natur aus mehr Reize aus den Düften allgemein, aus denen des Weines besonders erfährt als das schöne Geschlecht und zudem jeder Mensch die eine Komposition
besser und reizvoller findet als die andere, und in der Tat
individuell von dem einen Bukett mehr gereizt wird als
von dem anderen, und somit mit besonderer Neugierde
auf das wartet, was das Bukett im Munde verspricht,
so kann auch niemals der Reiz eines Buketts durch
noch so sorgfältig erarbeitete, biochemisch-physikalische
»Schnüffler« erkannt und erkundet werden. Die Bukette

eines Weines spielen in ihrer »Sensivität eine ebenso wesentliche Rolle wie in ihrer Sugestivität.«

In der Weltweinliteratur kann man bisweilen lesen, daß über 800 Duftkomponenten in mehr als 400 000 unterschiedlichen Kompositionen die Fülle der Bukette bei Weinen ausmachen. Der Mensch ist – allgemein gesprochen – bezüglich seines Geruchsvermögens kein Nasentier, aber er kann die Empfindsamkeit seines Geruchssinnes mit etwas Aufmerksamkeit und Erinnerungsvermögen durch Schulung seines Gedächtnisses für Früchte und Düfte in bestimmte Richtungen, speziell für Weinbukette entwickeln und fördern. Dazu braucht der Mensch, der sich eben auf Weinbukette spezialisiert, viel Zeit, die aber um so ergötzlicher sein wird, je mehr er saubere von unsauberen, fruchtige von blumigen, vornehm verhaltene von aufdringlichen Buketten sehr bald wird unterscheiden können.

Unsaubere Bukette sind schnapsig (vornehm ausgedrückt: Ätherisch), balsamisch (aufdringlich-süßlich), durch Korkgeruch gestört, lassen Böckser (Hefe-, Sauerkraut-Industrie- Aroma-Schwefelwasserstoffböckser) mit Faßton, mit Gummiton oder auch Spülmittel nach der maschinellen Flaschenreinigung erkennen. Diese unsauberen Gerüche zerstören jedes Weinbukett und geben bereits der Geschmacksprüfung ein negatives Vorzeichen.

Saubere Weinbukette können sein: »Fruchtig« oder »Blumig«. Fruchtige Bukette sind solche, in denen die Duftkomponenten einzelner Früchte das Bukett bestimmen; im übrigen aber eingebettet sind in vielerlei Geruchskomponenten, die zusammen mit dem Fruchtgeruch erst das herrliche Bukett des Weines ausmachen und vervollständigen.

Blumige Bukette werden im wesentlichen durch Düfte von Blumen, Blüten, Pflanzen, Blumenbukette (Feldblumenbukett) u. a. bestimmt, denen aber wohl niemals eine fruchtige oder würzige Komponente fehlen dürfte.

»Früchte«, die am häufigsten im Weinbukett vertreten sind, seien genannt: Pfirsich, Nektarienen (abgeschwächte Pfirsichart), Aprikosen, Apfelsorten, Johannisbeere (schwarze z. B. Scheurebe), Himbeere, Brombeere (Rotwein), Banane, Zwetschgen, Walnuß, Haselnuß (frische junge Weine).

In der »Blume« einiger Weine geben die Düfte von Veilchen (Frühburgunder), Rosen, (Gewürztraminer aus der Südpfalz), Pfingstrosen (Weißburgunder = Chardouney = Chablis = Auxerrois) Reseda, (Beoujolais), Muskatblüte, Jasmin, Lindenblüten, Feldblumen, frisch geschnittenes Gras, Brennessel u. a. das Motiv an. Dazu können in beiden Fällen unerwartete Düfte sich in das Bukett vorteilhaft einmischen und in einem wunderbaren Gleichklang für eine Überraschung sorgen: z. B. Tabak (Beeren- und Trockenbeerenauslese), Rauch = Fumé (nördlich der Loire, Mittelrhein), Juchten (alte Rotweine), Pinienharz (griechische Weine, Retsina), Champignon (Rotweine aus der Piemont), Trüffel (Bourgogne) u. a. Sie kommen zwar selten vor. Aber derjenige, der sie einmal in einem vollabgerundeten Bukett verspürt hat, wird sie nie vergessen.

So erging es mir mit einem 1917er Randersackerer Hohburg Trockenbeerenauslese, den ich 1950 bei Adam Schmitt, Randersacker probieren durfte. Der Tabakduft hatte sich so wunderbar mit dem edlen Bukett der Trokkenbeerenauslese vereinigt, daß ich nicht müde wurde, noch Tage danach an dem Glase zu riechen, zu schnuppern, das ich mir mitgenommen hatte, um mein Schlafzimmer mit dem herrlichen Duft dieses großen Weines zu erfüllen. Abends, bevor ich einschlief, nahm ich liebevoll mein Duftglas, erwärmte es und genoß die Vergangenheit, und morgens erwachte ich im Duftstrom meines

Glases. Selbst tagsüber schlich ich mich in mein Zimmer und nahm eine Erinnerung an jenen wunderbaren Wein aus dem Jahre 1917. Und so geschah es sooft, wie ich edle Weine dieser Qualität probieren und genießen durfte. Durch die Blume wurde der getrunkene Wein in die Erinnerung zurückgeholt und die Vergangenheit wurde nochmals Gegenwart.

»Ich kenne Wohlgeruch, für den des
Stoffes Bann
Nicht gilt und der sogar Kristall
durchdringen kann;
Erstaunt bisweilen uns ein Glas,
das wieder träumt,
Aus dem lebendig neu erwachte
Seele schäumt.«

Baudelaire

Sich mit dem Bukett eines Weines zu unterhalten ist mindestens so genüßlich, wie den Wein zu probieren. Allein mit seinem Wein sein, verträumt, in sich versenkt, vor sich hin philosophierend, die Lust erwartend im Vorspiel des eigentlichen Genußes – das ist das Wunderbare im Bukett eines Weines, das aber nur den anspricht, der durch das Bukett greizt wird, daß er aufzuhorchen beginnt, ob es sein Wein werden könnte, sein Wein allein, mit dem er sich verbrüdern könnte.

»Empfindungen kommen und gehen,
Heiter schwebend,
Einer Pusteblume ähnelnd,
Gleichsam Fröhlichkeit gebärend,
Aus dem Glase steigend
In die Atmosphäre meiner Seele«

Ein Dufterlebnis gehört nur dem kennenden und wissenden Weingenießer.

»Ein Hauch nur und doch echte Gegenwart!
Ich kann und will Dich nicht begreifen;
Und gerade deshalb mit dir leben.«

Michael Gabor

Laß Dein Herz nicht müde sein!
Folge seinem Wunsch und Deinem Vergnügen«!

Rainer Maria Rilke

Und Genieße!

Der Autor

Mit Nase, Mund und Zunge:

Eine hochgezogene Nase
kann sich nicht in ein Weinglas versenken!

Aus einem Gästebuch

In der Geschmacksanalyse wird der Wein nach Art und Charakter, nach Körper, Alter, Süße und Säure, nach Abgang, Nachklang und Bekömmlichkeit beurteilt. Die Wahrnehmungen vom Auge und die Empfindungen des Geruchssinnes vereinigen sich in einem hochwertigen

Wein mit den Empfindungen des Geschmacks zu einer wahrhaften Harmonie im Genießen. Wo aber Auge und Nase bereits Zweifel an der Qualität eines Weines aufkommen ließen, ist die Geschmacksanalyse vorbelastet. Gesichtssinn, Geruchssinn und Geschmackssinn spielen beim Weinprobieren immer zusammen.

Haben sich das Augenlicht an der Schönheit der Farbe und des Glanzes und die Nase an dem wunderbaren, unaufdringlichen Bukett erfreut, das in zart berührender Weise Reize der Lust nach jenem Wein auslöst, der genossen sein will, dann nimmt man nur »lippenspitzweise« wenige Tropfen des Weines auf die Zungenspitze und läßt sie verharrend verdampfen, wobei eine ganz zarte Luftzuführung durch die Lippen vorteilhaft sein könnte. Mit der Zunge wird aber noch keineswegs »gearbeitet«.

Weitere Duftströme fließen durch den Mund in die Nase und vervollständigen das Bukett, das bis dahin nur durch den unmittelbaren Zustrom der Düfte in die Nase angesprochen wurde. Man spricht dann auch von dem Aroma eines Weines, das die Geschmacksanalyse vorteilhaft einleiten kann.

Aber das ist nicht die wesentliche Wirkung dieser lippenspitzweise genommenen Probe auf der Zunge, vielmehr wird damit die erste Bekanntschaft mit dem Körper, dem Charakter und dem Wesen des Weines gemacht.

In den Augenblicken, in denen die Weintropfen auf der Zungenspitze »verdampfen«, legt sich der innere Dampfdruck, je nach Sorte unterschiedlich, entweder unter den Gaumen, oder er durchdringt breit die Zähne bis in die Wangen.

Als Vertreter dieser beiden Typen werden Riesling und Silvaner, jeder in seiner ursprünglich reinen Art, gewählt. Sie müssen sortenrein, nicht angereichert, trocken, d. h. durchgegoren sein. Die beiden Geschmackstypen »rund« und »breit« sind deutlich unterscheidbar. Sie werden fälschlicherweise oft bei Werbe-oder festlichen Weinproben benutzt, um die Eleganz oder die Mächtigkeit eines Weines zu kennzeichnen. Das ist nicht richtig. Darüber wird weiter unten gesprochen werden.

Es sollen zunächst die beiden Sortenvertreter Riesling und Silvaner in ihren weiteren Charakter- und Körpereigenschaften besprochen werden.

Der fruchtige Riesling

Legt sich der innere Dampfdruck nicht nur unter den Gaumenfang, sondern zieht er sich zur Gaumenmitte hin, dann achte man darauf, wieweit der Dampfdruck reicht; ob er schon in der ersten Gaumenhälfte sich auflöst, oder die Gaumenmitte noch erreicht oder sogar darüber sich hinzieht. Das sind schon Zeichen für die ersten Qualitätsstufen, die aber erkennen lassen, daß noch Steigerungen zu erwarten sind, in denen der Dampfdruck bis zum Gaumenende, bis zum Zäpfchen reicht und dort verharrt.
Es muß auch darauf geachtet werden, ob sich der Dampfdruck wie ein feiner dünner Faden über den Gaumenrücken oder zu beiden Seiten des Gaumens zieht.
Das sind erste Geschmackswahrnehmungen mit Weinen eines runden Körpers.

Der bukettarme Silvaner

Sobald seine Tropfen auf die Zunge genommen wurden, breitet sich sein Dampfdruck sogleich aus, durchdringt das »Gehege der Zähne« und reizt die Wangen. Auch bei diesen Typen muß darauf geachtet werden, in welchem

Maße er sich ausbreitet, kurz oder tief, bis in die weitesten tiefsten Wangen.

Handelt es sich um einen in seiner Qualität kleinen Wein dieser Art, dann läßt er den Gaumen geschmacklich vollkommen aus und durchdringt kaum die Zähne. Mit steigenden Qualitäten werden diese Breiten intensiver empfunden und bei kräftigen Weinen vermeint man sogar, man habe einen Wein von 1–2 cm Dicke auf der Zunge.

Dieses Geschmacksvermögen für »runde« und »breite« Weine besitzt jeder Mensch. Einmal darauf aufmerksam gemacht und die Erkentnisse mit Ernst aufgenommen, wird er die Unterschiedung niemals vergessen. Innerhalb dieser geschmacklich unterscheidbaren Tatsachen gibt es eine weitere Besonderheit, die geschmacklich erfaßt werden kann. Bei »runden« Weinen bemerkt man bisweilen, daß der Wein sich zunächst nur schwach und zögernd um den Gaumen legt, um sich aber nach hinten zu mächtig aufzufüllen. Bei den »breiten« Weinen erkennt man diese Kraftfülle nach anfänglicher Zögerung erst in den vollen Wangen, nach der man oft automatisch zu kauen beginnt. Solcherlei Weine lassen erkennen, daß sie noch nicht auf der Höhe ihrer Entfaltung sind. Sie haben Zukunft. Wer in die Lage kommt, Weine für seinen Keller günstig einzukaufen, sollte auf diese Eigenarten achten.

Das Geschmacksvermögen ist nicht identisch mit dem Geschmacksempfinden. Das Geschmacksempfinden ist eine höchst persönlich gebundene Eigenschaft. Im Gegensatz zum Geruchssinn ist das Geschmacksempfinden nicht geschlechtskontrolliert. Es ist als ererbte Fähigkeit individuell unterschiedlich. Während das Geschmacksvermögen für alle Menschen erlernbar und ausbildungsfähig ist, ist das Geschmacksempfinden nur individuell steigerungsfähig, bzw. ausbildungsfähig.

Zwischen diesen Hauptmerkmalen von Weinen gibt es natürlich alle Übergänge, vor allem wenn es sich um Verschnitte oder um Weine aus einem gemischten Satz (Silvaner, Riesling, Traminer) handelt.

Möglich ist es durchaus, daß neue Rebensorten in diesen Hauptmerkmalen die herausgestellten alten Sorten Riesling und Silvaner übertreffen, so der Rieslaner den Riesling in Franken. Nach entsprechender Schulung seines eigenen Geschmacksvermögens und bei gegebener Empfindsamkeit ist es durchaus möglich, nicht nur Verschnittweine von runden und breiten Weinen zu erkennen, sondern selbst die Elternsorten in Sortenkreuzungen anzusprechen.

Was bis jetzt über die Geschmacksprüfung gesagt wurde, war nur der Anfang einer Analyse, um zunächst einen allgemeinen Eindruck von einem Wein zu bekommen. Und doch können wir jetzt schon festhalten, daß es Weine gibt, die durch ihre Farbe und ihr Bukett betören können, im Geschmack aber nicht das halten, was man erwartet.

Bisher haben wir den Wein nur in ein bis zwei kleinen Schlückchen, lippenspitzweise probiert und doch schon bedeutsame Eigenarten erkannt. Bevor nun der dritte kräftige Schluck getan wird, der Wein gerollt, zerrissen und gekaut wird, tun wir einen Blick in unseren Mund. Das eigentliche Geschmacksorgan ist die Zunge. Im Munde befinden sich außerdem die Ober- und Unterkiefer mit dem Zahnfleisch und den Zähnen, ferner die Mundmuskulatur und das Zungenbein mit der Kehle. Auch diese Organe wirken bei der Geschmackserfassung mit und sei es auch nur zur Abrundung oder Bestätigung dessen, was die Zunge verspürt hat.

Da ist z. B. der Alkohol, dem zwar nicht die Bedeutung beim Weingeschmack zukommt, wie sie ihm zuweilen zugeschrieben wird. In südländischen Weinen ist er stärker vorhanden, da sich nach der Höhe des Alkoholgehaltes der Preis richtet. Den Alkoholgehalt erschmeckt man nicht mit der Zunge, sondern mit dem oberen Zahnfleisch. Oberhalb der Backenzähne zieht er die Muskulatur zusammen. Mit steigendem Alkoholgrad rückt dieses Gefühl im Zahnfleisch des Oberkiefers nach vorn.

Dem Alkoholgehalt kommen geschmackserhöhende und -verbindende Eigenschaften zu, je nachdem wie sich der Wein auf der Zunge probiert. Nach seiner Wirkung wird er als schwach, leicht, kräftig, warm, feurig oder im negativen Sinne als brandig, schnapsig und spritig angesprochen. In Gegenwart von Süße tritt der Alkoholgehalt verräterisch zurück.

Diese Wirkung hat sich die Industrie von sogenannten »Mistellen« zunutze gemacht. Der leicht angegorene Traubensaft wird soweit mit Alkohol versetzt, daß die Hefen den natürlichen Zucker der Trauben nicht mehr vergären können. Mistellen kommen entweder direkt als Dessertweine auf den Markt, oder sie werden zur Herstellung von Likörweinen benutzt. Sie werden nicht aus den besten Traubensorten gewonnen. Da sie verhältnismäßig billig sind, wurden sie vorwiegend von den sozial minderbemittelten Bevölkerungsschichten gekauft, und von armen Studenten.

Gerbsäure kommt von Natur aus in allen Weinen vor. In der modernen Kellertechnik hat man sie in der Weißweinherstellung vorteilhaft ausgeschaltet. Die gleichen Verfahren, auf die Rotweinbereitung angewandt, haben leider in manchen deutschen Ländern zu roten Weinen anstatt zu Rotweinen geführt. Rote Weine haben so gut wie keine Gerbsäure mehr, die aber gut abgestimmt mit anderen Eigenschaften des Rotweines erst den eigentlichen Typ des Rotweines ausmacht und der Verdauung förderlich ist. Auch die Gerbsäure wird im Zahnfleisch erspürt, ebenfalls wie der Alkohol – oberhalb der Bakkenzähne – jedoch adstringierender empfunden als Alkohol, und außerdem zieht sich dieses Adstringens nicht im Oberkiefer nach vorne, sondern nach hinten zu den Speicheldrüsen, die es deutlich zum Speichelfluß anregt. Schließlich wäre noch eine weitere Säure zu nennen, die im Zahnfleisch sich unangenehm bemerkbar macht; die freie Schwefelsäure (SO_2). Jeder Wein braucht sie, aber nur soweit es gestattet ist und sie den Geschmack nicht beeinflußt. Ist ein Wein »überschwefelt«, dann wird der Vorderkiefer pelzig und man meint, die Zähne würden stumpf. Selbst die Lippen werden gefühlstot.

In der Bundesrepublik liegt die obere Grenze für freie SO_2 im Liter Wein bei 50 mg; meist haben die deutschen Weine nach den neuesten Anbaumethoden weniger.

Ist ein Weintrinker gegenüber Schwefel sehr empfindlich, dann wird er bei einem überschwefelten Wein ein Kratzen im Halse verspüren oder der Wein sticht allenthalben auf die Mundschleimhaut, dem sich bald ein Sodbrennen anschließen wird. Auf keinen Fall führen bei normalen Menschen die im Wein natürlich vorkommenden Säuren wie Wein-, Apfel- oder Bernsteinsäure zu diesen Symptomen.

Über das Zungenbein endlich verspüren wir den Abgang des Weines und seinen Nachgeschmack, der als Echo – sozusagen – die besten Geschmacksakkorde entweder lange oder nur kurz zurücklaufen läßt.

Man sagt dann vom Wein: Er hatte einen langen, kräftigen oder einen kurzen und dünnen Schwanz. Auf die Mächtigkeit und die Dauer des Nachgeschmacks sollte man beim Kauf von Weinen achten.

Bisher wurde über all das gesprochen, was den eigentlichen Weingeschmack abrundet oder zu einer Vervollständigung beiträgt. Über das Geschmacksempfinden wurde noch nicht ausführlich berichtet. Bei dem ersten kräftigen Schluck, den wir von einem Wein tun, gleitet der Wein über das ganze Geschmacksfeld der Zunge. Die Vielfalt der Einwirkungen wird noch erhöht, indem man den Wein im Munde rollt, Luft durch die Zähne zieht und den Wein sogar zerreißt, um ihn dann analysierend zu kauen. Dabei muß man sich bewußt sein, daß die elementaren Geschmacksarten sauer, salzig, süß und bitter sind. So einfach läßt sich aber ein Wein nicht probieren. Wohl schmeckt man das Sauere und Salzige mehr im zweiten Teil der Zunge, das Süße in der Längsmitte und das Bittere am Zungenboden, jedoch ist die Kombination dieser abgestuften Geschmacksgrundlagen mit den einzelnen Bestandteilen des Weines so mannigfach, daß man irgendwie Ordnung in die Geschmacksanalyse bringen muß, um sich mit anderen Weinfreunden verständlich zu machen. Das darf aber auf keinen Fall soweit gehen, daß man sich in seinem eigenen Weinempfinden verwirrt. Man schmeckt also »seinen« Wein und drückt »sein« Empfinden eben nur in jenen Fachausdrücken aus, die im Vokabular der Weinsprache festgebunden sind.

Das »Vokabular« enthält alle Adjektive, welche die durch die Zunge erfaßbaren Empfindungen charakterisieren können. Man kann diese Adjektive nicht auswendig lernen, sondern muß sie selbst im Wein über einen langen Zeitraum und in vielerlei Sorten erschmecken und im Gedächtnis behalten.

Geschmacksprüfungstabelle, mit einer kurzgefaßten Deutung ihrer Begriffe

Der »Charakter« eines Weines wird in folgenden Fachausdrücken angesprochen: ohne Art, mit netter, gefälliger Art; mit Eigenart; mit gediegener, ehrlicher Art; die Art kann sein: zart, fein, gefällig, lieblich, süffig, elegant, mild, glatt, rund, voll, stoffig, herzhaft; wenn die Säure besonders hervortritt: kernig, nervig; wo mehr Körper: weinig, saftig, markig, würzig, wuchtig, mächtig, groß; wo der Alkohol dominiert: stark, warm, feurig.

Der »Körper« (Extrakt und Stoff) eines Weines wird in folgenden Worten angesprochen:

leer, arm, flach, dünn, kurz, leicht; hat der Wein aber Körper: kräftig, stoffig, saftig, füllig, schmalzig, wuchtig, schwer, fett, ölig, mächtig, mastig, klotzig, plump, dick.
Der Körper eines Weines ist von der Reife abhängig, wobei Boden und Lage, Düngung und Pflege der Reben im Weinberg eine wesentliche Rolle spielen. In der Pfalz und in Franken wird z. B. der Körper höher bewertet als an der Mosel und am Mittelrhein, wo der Eleganz der Vorzug in der Bewertung gegeben wird.
Bedeutsame Qualitätsfaktoren sind Süße und Säure; positiv, wenn sie aufeinander abgestimmt sind; unharmonisch, wenn sie in ihren Graden nicht zueinander passen.
»Wenn der Zucker vergoren ist, nennt man den Wein trocken, »ohne Restsüße«, oder mit einer »leichten dienenden Restsüße«. Die Süße kann sein: reif, edel, vornehm, wenn mit der Säure harmonisch. Eine zu aufdringliche Süße wirkt abstoßend. Man spricht dann von »gestoppt«, einseitig, aufdringlich, aufgepropft, pappig oder pappsüß.
Der Zuckerrest eines Weines betäubt die Geschmacksnerven für einige Zeit. Nach einem süßen Wein läßt sich ein trockener oder weniger süßer Wein nicht mehr objektiv beurteilen.
Fast alle Weine mit hohem Mostgewicht haben eine natürliche Restsüße, die von einer künstlich herbeigeführten Süße unterscheidbar ist.
Natursüße Weine sind immer harmonisch. Halbtrockene Weine können bis zu 18 g Restzucker/l haben.

In Verbindung mit dem »*Säuregehalt*« spricht man Weine als weich, fad, mild, harmonisch, rassig, fest, stahlig, im negativen Sinne, metallisch, spitz, ziehend, hart, bissig, sauer, an.

Der Säuregehalt eines Weines ist ein qualitätsbestimmender Faktor. Wenn die Weinkellertechnik der Säure die gleiche Zeit und Aufmerksamkeit wie dem Zuckeranteil zuwenden würde, würde es um den Ruf vieler deutscher Weine besser bestellt sein. Die Subjektivität der Empfindungen kommt gerade dann deutlich zum Ausdruck, wenn es sich um Geschmackskomponenten in Verbindung mit der Säure handelt. Was der eine als »hart« empfindet, ist für den anderen »rassig«, oder »ausgeglichen«.

»*Temperatur und Extraktgehalt*« beeinflussen das Geschmacksempfinden bezüglich säuregebundener Merkmale sehr, ebenso Zuckerrest und Kohlensäureanteil.

Der »*Kohlensäuregehalt*« kann den Wein »frisch« und »lebendig«, »anregend«, »bitzelnd«, »prickelnd«, oder »scharf«, und »gestört« machen.

Der Weingeschmack ist »*nicht*« gleichbleibend. Auch der Geschmackswert eines Weines ändert sich und ist abhängig von der objektiven Probe zu seinen Gunsten oder Ungunsten. Daher ist es notwendig, den Wein, den man kaufen will, vor dem Kauf zu probieren und muß dabei erkennen können, ob der Wein noch eine Zukunft hat oder bereits fertig mit seiner Entwicklung ist. Kleine Weine sind nur bedingt längere Zeit lagerfähig. Inhaltsreiche Weine haben eine Zukunft um so länger, je korrekter sie gelagert werden.

In Franken treffen sich um die Jahreswende seit zehn Jahren acht bis zwölf Weinfreunde alter Weine, Produzenten wie Konsumenten, und probieren kritisch und ehrlich. Es handelt sich um naturreine Weine im Sinne des Weingesetzes von 1931; kein Wein ist jünger als zehn Jahre. Es ist dabei immer wieder erstaunlich, wie auch einige alkoholschwache Weine der Jahre 1956, 1957, 1960, 1963, 1965, 1966 und 1968 sich erstaunlich sauber und angenehm verkosten lassen.

Bei diesen Weinproben fehlt nie das natursaure Brot, das die Degustation außerordentlich geschmacklich bunt macht, so daß man gerne bei diesem oder jenem Wein länger verweilen möchte.

Die Weine werden nicht bewertet, sondern man diskutiert über sie; bisweilen stundenlang. Der Gedankenaustausch erfüllt das Herz mit Freude und bereichert durch die Erfahrungen der »Alten« das Wissen der »Jungen« um das Wesen des Weines. Die »Alten« hören von den neuesten Entwicklungen der Kellertechnik, des Pflanzenschutzes und des Weinbaues, die »Jungen« von den Zuständen früherer Jahre, vom Wechsel der Witterung, von sibirischen Frösten und ihrer Überwindung, wie die Reben von Jahr zu Jahr und von Sorte zu Sorte unterschiedlich reagiert haben, deren Weine gerade verkostet wurden.

Geschmacksbezeichnungen in Frankreich nach *André Simon (1960)* zur Vervollständigung seines persönlichen Vokabulars.

Goût américaine	Lieblicher süßer Geschmack
Goût anglais	Trockener, herber Geschmack, hauptsächlich bei Champagner
Goût de bois	Hölzern, ein Wein, der zulange im Faß lag
Goût de bouchon	Nach Korken schmeckend, Korkengeschmack
Goût dévent	Flach, dumpf, tot
Bon goût	Guter Geschmack

Goût de ferment	Noch im Zustand der Gärung, nicht trinkbar; Hefeton
Franc de goût	Frei von Beigeschmack, für Nase und Gaumen gleich sauber
Mauvais goût	Schlechter Geschmack, nicht trinkbar
Goût de moisi	Modriger, fauler Geschmack
Goût de paille	Nach feuchtem Stroh, d. h. faulig schmeckend
Goût de pierre à fusil	Herber, aber nicht unangenehmer »Nachgeschmack«
Goût de Pique	Saurer Geschmack nahe dem Essigstadium, ein Wein mit Stich
Goût de rancio	Ranziger Geschmack
Goût de taille	Krätzer. Unter Krätzer versteht man die letzte Traubenpressung, den Scheitermost
Goût de terroir	Ein ganz bestimmter Eigengeschmack des Weines, der da, wo er wächst, geschätzt wird, sich aber sonst keiner Beliebtheit erfreut.

Die materielle Struktur des Weines

Trinke ihn pur und dir lacht
das Herz die ganze Nacht!

Aristophanes

»Nicht Kunst und Wissenschaft allein,
Geduld muß bei dem Werke sein.
Ein stiller Geist
ist jahrelang geschäftig,
Die Zeit erst macht
die feine Gärung kräftig.«

J. W. v. Goethe

Ein Liter Traubensaft von durchschnittlicher Qualität
enthält im allgemeinen

780 – 860 g Wasser

120 – 250 g Zucker

6 – 14 g Säuren (Wein- und Apfelsäure)

2,5 – 3,5 g Mineralstoffe

0,5 – 1,5 g Stickstoffverbindungen (Eiweiß,
Peptone, Aminosäuren ect.),
Pentosen (unvergärbarer Zucker)

in noch geringeren Mengen: Gerbstoffe, Farbstoffe, Fet-
te, Wachse, Fermente, (Oxydase, Invertase, Peptase) Ge-
ruchs- und Geschmacksstoffe, von denen bis heute über
400 analysiert wurden u. v. a. m.

Mostgewicht und Öchsle

Traubensäfte sind immer schwerer als Wasser, das bei
4° C das spez. Gewicht 1 hat. Heute bezeichnet man dieses als Dichte und versteht darunter den Quotienten aus
Masse : Volumen ($\frac{M}{V}$); in Zahlenwerten angegeben: Kilogramm : Kubikzentimeter, abgekürzt: kg/l oder Gramm:
Milliliter = g/l. Um es noch verständlicher darzustellen:
1000 Gramm = 1 Kilogramm : 1000 Kubikzentimeter =
1 Liter ergibt Dichte, oder in Gramm ausgedrückt:
1000 g : 1000 Milliliter = Dichte. Der Zahlenwert der
Dichte ist immer der gleiche, ob es sich um kg/l oder um
g/ml handelt.
Bei Wasser beträgt also die Dichte bei 4° C gemessen =
1. In der Weinanalytik wird die Dichte bei 20° C verwendet. Sie beträgt bei Wasser dann 0,998202.
Wird nun Traubensaft auf seine Dichte hin untersucht,
also seine Masse (kg) : sein Volumen (l), so muß dieses

immer bei 20° C geschehen. Der Dichtewert ist immer größer als 1. Nimmt man als Beispiel einen Dichtewert des Mostes von 1,077 an, so muß dieser Quotient dividiert werden durch den Dichtewert des Wassers bei 20° C = 0,998202. Es ergibt sich dann der Wert von 1,079.

Von diesem Wert muß der Dichtewert des Wassers bei 4° C = 1 abgezogen werden und der Rest mit 1000 multipliziert werden.

Das Mostgewicht beträgt dann 79°. Lautet der Quotient 1,124, dann ist das Mostgewicht 124°.

In der Bundesrepublik ist es praxisüblich, die Mostgewichte als Öchslegrade anzugeben.

Der Unterschied zwischen Öchslegrade und Mostgrade besteht lediglich darin, daß bei Angaben der Öchslewerte die relative Dichte sowohl des Traubenmostes wie des Wassers bei 17,5° C gemessen wurde. Obwohl in der Praxis dieser Unterschied kaum ins Gewicht fällt, muß er in der genauen Analyse jedoch berücksichtigt werden. Um Klarheit bei der Ermittlung des natürlichen Alkoholgehaltes in Volumenprozent (Vol. %) zu schaffen, hat die Bundesregierung eine allgemein gültige Umrechnungstabelle von Ö° in Vol. % Alkohol in der Verordnung vom 4. 8. 1983 nach der vierten Abänderung des fünften deutschen Weingesetzes vom 27. Juli 1982 aufgestellt.

Tabelle zur Ermittlung des natürlichen Alkoholgehaltes in Volumenprozent und Oechslegrad

°Oe	% vol. Alkohol	°Oe	% vol. Alkohol	°Oe	% vol. Alkohol
40	4,4	80	10,6	120	16,9
41	4,5	81	10,8	121	17,0
42	4,7	82	10,9	122	17,2
43	4,8	83	11,1	123	17,3
44	5,0	84	11,3	124	17,5
45	5,2	85	11,4	125	17,7
46	5,3	86	11,6	126	17,8
47	5,5	87	11,7	127	18,0
48	5,6	88	11,9	128	18,1
49	5,8	89	12,0	129	18,3
50	5,9	90	12,2	130	18,4
51	6,1	91	12,4	131	18,6
52	6,3	92	12,5	132	18,8
53	6,4	93	12,7	133	18,9
54	6,6	94	12,8	134	19,1
55	6,7	95	13,0	135	19,2
56	6,9	96	13,1	136	19,4
57	7,0	97	13,3	137	19,5
58	7,2	98	13,4	138	19,7
59	7,3	99	13,6	139	19,8
60	7,5	100	13,8	140	20,0
61	7,7	101	13,9	141	20,2
62	7,8	102	14,1	142	20,3
63	8,0	103	14,2	143	20,5
64	8,1	104	14,4	144	20,6
65	8,3	105	14,5	145	20,8
66	8,4	106	14,7	146	20,9
67	8,6	107	14,8	147	21,1
68	8,8	108	15,0	148	21,3
69	8,9	109	15,2	149	21,4
70	9,1	110	15,3	150	21,5
71	9,2	111	15,5		
72	9,4	112	15,6		
73	9,5	113	15,8		
74	9,7	114	15,9		
75	9,8	115	16,1		
76	10,0	116	16,3		
77	10,2	117	16,4		
78	10,3	118	16,6		
79	10,5	119	16,7		

Mostgewicht und Zucker (für den Hausgebrauch)

1 g Mostgewicht ist gleich 2,6 g Zucker/l. Will man also die Gramm-Zucker im Traubensaft rein erkennen, muß das Mostgewicht mit 2,6 multipliziert werden. Da aber noch andere Stoffe im Traubensaft seine Dichte bestimmen, werden in guten Jahren 25 g, in geringeren Jahren 30 g vom erhaltenen Wert: Mostgewicht × 2,6 abzuziehen sein.

Zum Beispiel: $80 \times 2,6 - 25 = 183$ g Zucker, in geringen Jahren: $60 \times 2,6 - 30 = 126$ g Zucker, bei 100° Mostgewicht: $100 \times 2,6 - 25 = 235$ g Zucker/l.

Geringste Mostgewichte wurden 1965 in Franken nach eigenen Aufzeichnungen gemessen bei einem Silvanerklon mit starkem Behang: Silvaner: 22° mit 27°/oo Gesamtsäure, das sind 27,2 g Zucker.

Das Durchschnittsgewicht betrug in diesem Jahr allerdings 50–60°, jedoch war die Zahl der Möste mit Mostgewichten unter 50° höher als die mit 65° und mehr. Beim Riesling war das geringste Mostgewicht 44° = 84,4 g Zucker/l. Das Durchschnittsgewicht von 44–58° = 48° bei 17,6°/oo Gesamtsäure. Als höchster natürlicher Wert gilt ein 1959er Bernkastler Doktor mit 312° = 786,2 g Zucker/l Traubensaft. Beeren, die auf der Darre getrocknet werden, sind keine natürlichen Trockenbeerenauslesen, sondern technisch erzielte Konzentrate.

Die beiden vergärbaren Zuckerarten, die im Traubensaft vorkommen und zu Alkohol vergoren werden, sind Traubenzucker und Fruchtzucker. Sie haben die gleiche chemische Formel und sind doch im Geschmack recht unterschiedlich. Der Traubenzucker besitzt nämlich nur die halbe Süßkraft des Fruchtzuckers. Sie kommen in normalen Jahren zu gleichen Teilen im Traubensaft vor, in guten – sehr guten Jahren, vor allem in edelfaulen Beeren überwiegt der süßschmeckende Fruchtzucker.

Ihre chemische Formel heißt: $C_6H_{12}O_6$. Der im Wasser leicht lösliche Traubenzucker dreht im polarisierten Licht die Brechungsebene nach rechts. Daher nennt man ihn auch Dextrose (dexter = rechts); Fruchtzucker aber dreht nach links (lävus) und heißt Lävulose.

Außer diesen beiden Zuckerarten kommen noch sehr geringe Mengen unvergärbarer Zucker hinzu: sog. Pentosen, selten über 1 g/l (Arabinose, Rhamnose, Xylose und d-Arabinose). Zur Anreicherung der Möste wird Sacharose (Rohr- und Rübenzucker) verwendet. Sacharose schmeckt fast so süß wie Fruchtzucker. Sie hat die Formel: $C_{12}H_{22}O_{11}$.

Unter der Einwirkung eines Enzyms, der Sacharase zerfällt die Sacharose in je ein Molekül Trauben- und Fruchtzucker. Da hierbei die dem Rohrzucker eigene Rechtsdrehung in eine Linksdrehung verwandelt wird, nennt man das so entstandene Gemisch gleicher Trauben- und Fruchtzucker Invertzucker. Dieser Begriff wird dem wissensdurstigen Weinfreund öfter begegnen, da die Anreicherung immer als Invertzucker angegeben wird; der darüber hinaus die Flüssigzuckeraffäre kennzeichnet.

Die Gesamtsäure

des Traubenmostes wird als titrierbare Säure angegeben. Je unreifer die Beeren, um so höher die Säure (vergl. vorhergehende Seite). In reifen gesunden Beeren stehen Mostgewicht und Gesamtsäure in einem erblich fixierten Verhältnis, das immer erreicht wird, wenn die Umweltbedingungen dem ererbten Anspruch entsprechen. Man kann am Quotienten:

$$\frac{\text{Mostgewicht}}{\text{Gesamtsäure}}$$

ablesen, ob ein Most zur Erzielung eines harmonischen Weines einer kellertechnischen Manipulation bedarf oder nicht. Sie ist dann nicht notwendig, wenn das Verhältnis

$$\frac{\text{Mostgewicht}}{\text{Gesamtsäure}} = \frac{10}{1}$$

Die Gesamtsäure des Traubensaftes setzt sich aus Äpfel- und Weinsäure im wesentlichen zusammen.
Zu geringe Gesamtsäure etwa mit einem Verhältnis zum Mostgewicht von

$$\frac{15}{1} = \frac{\text{Mostgewicht}}{\text{Gesamtsäure}}$$

ist ebenso unerwünscht wie umgekehrt
$$\frac{5}{1}.$$

Im ersten Fall wird der Wein zu schnapsig und unharmonisch, im zweiten Fall zu sauer.
Säurereiche Traubensäfte kann man entsäuren, aber säurearme nicht wie in Frankreich und Italien mittels Zitronensäure anreichern. Allerdings wurde diese Maßnahme 1947, nach einem regenarmen und heißen Sommer ausnahmsweise in Rheinland-Pfalz gestattet.
In Österreich und den angrenzenden Ländern wird die Qualität der Traubenmoste in Klosterneuburger Mostgrade (KMW°) angegeben. Die Umrechnung von KMW-Grade in Mostgewicht erfolgt nach der Formel:

$$\text{Mostgewicht} = \text{KMW}^{\text{ox}((0,022 \times 20) + 4,54)}$$

Beispiel: Klosterneuburger-Mostwaage = KMW° sei 20°
Mostgewicht ist dann $20 \times ((0,022 \times 20) + 4,54) = 99,9$ Mostgewicht.
Für den Freund österreichischer Weine genügt es, wenn er die angegebenen KMW-Grade mit 5 multipliziert.

Der Wein

Ein Liter Wein enthält durchschnittlich: 65 – 120 g Alkohol und als wesentlichen Bestandteil Wasser, etwa 650 – 900 g/l; ferner:

17 – 60	g	zuckerfreien Extrakt
5 – 12	g	Glycerin
0,3 – 3	g	Weinsäure
0 – 4	g	Äpfelsäure
0,3 – 4	g	Milchsäure
0 – 1,5	g	Bernsteinsäure
0 – 2	g	andere Säuren insgesamt: bis 10 g Gesamtsäure
1 – 30	g	Zucker und darüber bei Spätlesen, Auslesen, Eiswein, Beeren- und Trockenbeerenauslesen
1	g	Pentosen (unvergärbarer Zucker)
0 – 3	g	Gerbstoffe
0,2 – 4	g	Mineralstoffe (darunter wertvolle Spurenelemente)
1 – 3	g	Aromastoffe
bis 0,94	g	flüchtige Säuren (bei mehr als 1,1 g/l gilt der Wein als verdorben, bei Rotwein über 1,2 g/l).

Asche

2,0 – 4 g pro Liter
In einem Gramm Asche sind im allgemeinen enthalten:

Kalium:	500 – 700 mg
Calcium:	40 – 70 mg
Magnesium:	30 – 50 mg

Natrium:	10– 25 mg
Eisen:	4– 20 mg
Phosphorsäure:	8–160 mg
Schwefelsäure:	40–100 mg
Kieselsäure:	20– 40 mg
Chlor:	20– 60 mg
Bor in Spuren	

Fremdstoffe im Wein

In einigen modernen Weinen kommen Fremdstoffe vor, die erst entweder durch falsche Düngungs- und Pflanzenschutzmaßnahmen oder durch die moderne Kellertechnik dem Wein zugefügt wurden. Da solche unerwünscht und möglicherweise auch gesundheitsschädlich sein können und Bukette wie den Geschmack negativ beeinflussen, wurden seitens des Bundesgesundheitsamtes Höchstwerte festgesetzt, über die hinaus ein Wein mit metallischen Fremdstoffen nicht marktfähig ist.

Es sind dies: Anlage 3 (zu § 2 Abs. 4)

Aluminium	8	mg/l
Arsen	0,2	mg/l
Blei	0,3	mg/l
Bor, berechnet als Borsäure	35	mg/l
Brom, gesamtes	0,5	mg/l
Fluor	0,5	mg/l
Cadmium	0,01	mg/l
Kupfer	5	mg/l
Zink	5	mg/l
Zinn	1	mg/l

Um einen höheren Rückstand in Weinen durch kellertechnische Maßnahmen zu verhindern, wurden seitens des Bundes für die zur Schönung und Stabilisierung ver-

91

wendeten chemischen Stoffe Reinheitsanforderungen erstellt.

In der deutschen Weinchemie wird der Gehalt an Gesamtsäure als Weinsäure angegeben; in Frankreich meist als Schwefelsäure. Da 100 g Weinsäure 65,3 g Schwefelsäure entsprechen, muß man, um vergleichbare Werte von deutschen und französischen Weinen zu bekommen, die französischen Zahlenangaben mit 1,53 multiplizieren.

Bei den Angaben über die chemische Struktur des Weines handelt es sich nur um Stoffgruppen (verschiedene Alkoholarten, Zuckerarten, Gerbstoffarten, Mineralien, Bukettstoffe, Aminosäuren u. a. m.). Soweit Kenntnisse darüber gewonnen wurden, gestatten sie uns lediglich mutmaßliche Einblicke in die chemische Struktur der Weine, in ihr Gerippe oder Skelett. Eine Bilanz der Stoffe, die allein im Extraktgehalt oder durch das Tierexperiment als Biostatika nachgewiesen wurden, zeigt eine Fülle von Fragen, die noch der Beantwortung harren.

Es gibt durchaus Unterscheidungsmerkmale von Weinarten und -gruppen, die im Experiment mit Sicherheit festgestellt werden können, nur müssen wir uns bei Wein von der Vorstellung frei machen, daß nur das gilt und Wahrheit ist, was chemisch erfaßbar gemacht werden kann. Wein ist eben ein »Naturphänomen!«

Das soll jedoch nicht heißen und zu einer falschen Auffassung führen, daß sich beispielsweise die Eigenart der Weine verschiedener Herkunft nach Sorte und Klima nicht chemisch bereits erkennen lassen. So treten die Unterschiede in Säuregraden und -arten oder in Nuancierungen der Bukette deutlich hervor und sind erfaßbar, vermutlich noch nicht ganz. Das Reduktionsvermögen z. B. (Redoxwert) ist bei deutschen Weinen ausgeprägter und führt daher zu einem fruchtigeren, frischeren Geschmackseindruck. Auch ist der Gerbstoffgehalt in deutschen Weinen im allgemeinen niedriger als in Weinen aus südlichen Ländern. Das äußert sich auch bei Weißweinen in der grünlich-gelben Farbe als Positivum, bei Rotweinen in fast fehlendem oder sehr verminderten Gerbstoffgehalt als Negativum.. Dennoch wird versucht, dem deutschen Rotwein jegliche Gerbsäure zu entziehen, so daß schließlich zwischen Rotweinen und Weißweinen deutscher Herkunft nur noch der Unterschied in der Farbe besteht.

Zweifellos hat aber auch die Harmonisierung der Fruchtsäuren durch eine gewisse Restsüße zur Spezialisierung der deutschen Weine beigetragen, die leider bisweilen in einigen Gebieten zur Übersüßung der Weiß- wie Rotweine geführt hat. Mit Befriedigung darf festgestellt werden, daß die süße Welle in der Bundesrepublik im Abflauen ist.

Der Alkoholgehalt als Kalorienspender

Der Hauptkalorienspender ist der Alkohol (7,1 kcal/g). Ein Liter Wein enthält demnach zwischen 420 und 720 kcal, als Alkohol. Die Extraktbestandteile fallen demgegenüber »kaum ins Gewicht« (etwa 4 kcal/l). Leider besteht der Alkoholgehalt des Weines nicht nur aus »guten« und reinem Äthylalkohol (Äthanol), sondern bei gärenden Mösten und einigen Hybridenweinen auch zeitweise Methylalkohol, der in einem edlen Wein vollkommen fehlt, aus dem zweiwertigen Butandiol und höherwertigeren Alkoholen wie Propanol, Amylalkohol und Isobutylalkohol, die nach Flanzy, Reuther und Prokop in Hybridenweinen, aber auch in Spitzenweinen in höherem Prozentsatz vorkommen, als in normalen durchgegorenen Prädikatsweinen der Edelrebenart Vitis vinifera. Die Bekömmlichkeit von Weinen wird u. a. gerade durch diese Fuselalkohole mehr als beeinträchtigt.

Ebensowenig wie der Wein als universeller Kalorienspender angesehen werden darf, führt die Überschätzung
seines Vitamingehaltes zu unvertretbaren Anschauungen
bei Weintrinkern.

Der Weinstein

ist das saure Kaliumsalz/Kaliumtartrat der Weinsäure.
Er ist in Wasser schwer löslich, in Alkohol überhaupt
nicht. Daher erfolgt während der Gärung ein mehr oder
weniger starker Ausfall in rhombischen Kristallen. Der
Gehalt der Weine an Gesamtsäure (alle Säuren zusammen) kann dadurch um 2–4 g/l abnehmen. (1 g Weinstein entspricht 0,4 g freie Weinsäure). Da die Verbindungen der Weinsäure dazu neigen, übersättigte Lösun-
gen zu bilden, bleibt im Wein eine gewisse Menge über-
sättigter Weinstein oft noch längere Zeit in Lösung.
Außer Kalium können sich aber auch Weinsäuresalze
von Natrium und Calcium bilden, die nicht eine klare
rhombische Form erkennen lassen und sich als Gries
oder in Schollen nach erfolgter Abfüllung auf Flaschen
bei Temperaturwechsel während der Lagerung absetzen
können.
In der modernen Kellerwirtschaft versucht man daher,
durch Unterkühlung des Weines vor der Abfüllung eine
eventuelle spätere Ausscheidung von Weinstein auszu-
schalten. Calciumtartrat, weinsaures Calcium, ein neu-
trales unlösliches Salz wird bei der Entsäuerung von Mo-
sten durch kohlensauren Kalk gebildet und ausgeschie-
den. Der biologische Säureabbau durch Hefen und Bakterien bewirkt eine Spaltung der Apfelsäure in die mild
schmeckende Milchsäure und in Kohlendioxyd. In ferti-
gen Weinen findet man daher nur noch verhältnismäßig
wenig Apfelsäure.

Die merkantile
Basis des Weines

»Und kann ein Land nicht haben
Des edlen Weines Gaben,
So fährt's ein Fuhrmann drein;
Drum an allen Orten
Von viel und manchen Sorten
Wird g'funden guter Wein«

unbekannt

Der Wein ist eine Ware, die verkauft sein will, an der
Winzer, Weinkellereien, Weinhändler und Gastrono-
men verdienen wollen, ohne daß dem Konsumenten,
dem Weintrinker wie dem Weingenießer wirtschaftlicher noch gesundheitlicher Schaden zugefügt werden
darf. Mit der Realisierung der Europäischen Wirtschafts-
gemeinschaft (EWG) wurde 1971 ein neues deutsches
Weingesetz (das fünfte) notwendig, das vorwiegend als
Verbraucherschutzgesetz gedeutet wurde. Da von Brüssel aus danach getrachtet wurde, möglichst ein einheitli-
ches Weingesetz für die EG-Mitgliedstaaten zu schaffen,
ohne deren nationalen Sonderheiten zu stören, wurden
laufend Verordnungen von Brüssel erlassen, die schließlich das vierte Gesetz »zur Abänderung« des Deutschen
Weingesetzes von 1971 mit Wirkung vom 27. 7. 1982
notwendig machten, wozu mit dem 4. 8. 1983 die Verordnungen des Bundes zum vierten Abänderungsgestz
kamen.

Auch ein Weingesetz gehört zur Welt des Weines. Aber
es umschließt nur einen ganz engbegrenzten gesetzlich
festgelegten Teil dieser Welt, nämlich nur jenen, der ver-
waltungstechnisch erfaßbar ist; eine Welt der modernen
Zeit, die der elektronischen Daten-Verarbeitung (EDV)
unterworfen und durch Computer kontrolliert werden
kann.

Für diesen Teil der Welt des Weines wird dem Konsumenten eine »heile Welt« garantiert, wenn der Wein
nach Herstellung und Kennzeichnung den gesetzlichen
Vorschriften entspricht. Dies nennen wir »die merkantile Basis des Weines«.

EG-Recht bricht Bundesrecht!

Das nach vielen Verordnungen schließlich entstandene EG-Recht, das noch keineswegs Anspruch darauf erhebt, ein endgültiges zu sein, bildet den Rahmen für die Weingesetzgebung der EG-Mitgliedstaaten. Es reguliert den marktmäßigen Verkehr mit Weinen und will damit Wettbewerbsverzerrungen der Mitgliedstaaten untereinander verhindern und die Verbraucherstaaten und -kreise vor Unlauterkeiten seitens der Weinwirtschaft bewahren. Die EG-Verwaltung in Brüssel ist ebenso wie die Mitgliedstaaten darum bemüht, die geltenden Weingesetze in erster Linie als Verbraucherschutzgesetze zu deklarieren, um damit alle erlaubten Behandlungsmethoden der Weine als verbraucherfreundlich erscheinen zu lassen. Diese Feststellung widerspricht nicht der Tatsache, daß das EG-Weinrecht für den Verbraucher Klarheit und Wahrheit bringt, wenn auch nicht verhehlt werden soll, daß Klarheit und Wahrheit innerhalb der merkantilen Basis des Weines sehr relative Begriffe sind, die über das Etikett den Weinkunden darüber unterrichten, was er in den Weingebinden aus Glas, Kunststoff oder Blech kauft.

Dazu war es notwendig, für alle Mitgliedstaaten bindend ihre Weine in zwei Qualitätsstufen einzuteilen und die Weinbaugebiete des EG-Bereichs wegen ihrer klimatischen Verschiedenartigkeiten in Weinbauzonen aufzugliedern.

Qualitätsstufen beim Wein innerhalb der Europäischen Gemeinschaft (EG)

Bundesrepublik und Beneluxstaaten	Frankreich	Italien
1. Tafelwein Landwein (Tafelwein)	1. vin de table vin de pays (vin de table) 2. VDQS = vin de-limité de qualité supérieure	1. vino da tavola vino tipico (vino da tavola)
2. Qualitätswein bestimmter Anbaugebiete (Qu. b. A.-Weine) a. Qualitätswein	a. Appellation controlleé AC-Weine	2. a. Denominacione di origine controllata = DOC-Weine
b. Qualitätsweine mit Prädikat (Kabinett, Spätlese, Auslese; Zusatz: Eiswein, Beerenauslese, Trockenbeerenauslese)	Appellation d' origine controlleé (unterschiedliche Bewertung nach historisch abgegrenzten Lagen) b. Amtliche Kennzeichnung: a. Petits Crus Classés b. Quatriemes Crus Classés c. Troisiemes Crus Classés d. Deuxiemes Crus Classés e. Premiers Crus Classés f. Grands Crus Classés Grands Premiers Crus	b. Denominacione di origine Controllata e garantita = DOCG-Weine (Ein besonderes Gütezeichen, das nur wertvollen Weinen vorbehalten ist. Sie müssen mit dem staatlichen Siegel versehen sein.)

*Einteilung der europäischen
Weinbaugebiete in Zonen*

Zone A: die nördlichsten Zonen, denen die deutschen,
mit Ausnahme von Baden, die Beneluxstaaten und
neuerdings auch die englischen Weinanbaugebiete an-
gehören;

Zone B: Baden, Schweiz, Süd-Tirol (Nord-), Elsaß-Lo-
thringen, Loiraine und Touraine;

Zone C: Ia, das Kernstück von Frankreich, mit Ausnahme der Mittelmeerküste

Zone C: Ib, Friaul und südliches Süd-Tirol,

Zone II: Französische Mittelmeerküste, Nord- und Mit-
telitalien bis zur Höhe: Südlich Rom

Zone III a: Südliches Italien, Korsika und Sardinien, Sizilien

Zone III a und III b: Griechenland und seine Inseln.
Demnächst werden Spanien mit seinen Inseln und
Portugal dazu kommen.

*Die Gebietseinteilung des
deutschen Weinanbaues*
(nach deutschem Weingesetz)

Für *Tafelwein:* Folgende Weinbaugebiete mit ihren Un-
tergebieten:

Rhein-Mosel: Untergebiete sind: Rhein, Mosel und Saar.
Sie umschließen: Rheinpfalz, Rheinhessen, Rheingau,
Hessische Bergstraße, Nahe, Mittelrhein, Mosel, Saar,
Ruwer.

Bayern: Untergebiete sind: Main, Donau, Lindau (Bodensee), Neckar.

Oberrhein: Untergebiete sind. Römertor und Burgengau

Für die Bezeichnung von *Landwein* sind folgende Namen festgelegt:

Ahrtaler Landwein
Stakenburger Landwein
Rheinburgen Landwein
Landwein der Mosel
Landwein der Saar
Nahegauer Landwein
Altrheingauer Landwein
Rheinischer Landwein (Rheinhessen)
Pfälzer Landwein
Fränkischer Landwein,
  (den es noch nicht gibt)
Regensburger Landwein
Bayerischer Bodensee-Landwein
Schwäbischer Landwein
Unterbadischer Landwein
Südbadischer Landwein

In der ganzen Bundesrepublik gibt es nur ein kleines Weinbaugebiet, das nur Tafelwein, seit 1982 mit dem Untertitel: Regensburger Landwein, erzeugen darf, weil es an kein größeres Weinanbaugebiet unmittelbar angrenzt, in dem auch Qualitätsweine bestimmter Anbaugebiete erzeugt werden, und obwohl es die reine Vitis Vinifera-Sorten wie Müller-Thurgau angebaut hat. Für die Weinbauern um Regensburg, an der Laaber und Naab, für das Frauenkloster Mallersdorf ist das bedauerlich, zumal sie bestrebt sind, ihre qualitativ hochwertigen, nicht angereicherten, meist trockenen Weine ehrlich und sauber auf den Markt zu bringen.

In diesem Falle kann das deutsche Weingesetz nicht für sich in Anspruch nehmen, den Weintrinker richtig zu unterrichten.

Für Qualitätsweine bestimmter Anbaugebiete (Qu. b. A.). Bestimmte Anbaugebiete sind:

Ahr: Bereich: Walporzheim/Ahrtal
Hessische Bergstraße: Bereiche:
    Stakenburg, Umstadt
Mittelrhein: Bereiche: Bacharach,
    Rheinburgengau, Siebengebirge
Mosel, Saar, Ruwer: Bereiche: Zell/Mosel,
    Bernkastel, Obermosel, Saar-Ruwer,
    Moseltor
Nahe: Bereiche: Schloßböckelheim,
    Kreuznach
Rheingau: Bereich: Johannisberg
Rheinhessen: Bereich: Bingen, Nierstein,
    Wonnegau
Rheinpfalz: Bereiche: Südliche Weinstraße,
    Mittelhardt, Deutsche Weinstraße
Franken: Bereiche: Steigerwald,
    Maindreieck, Mainviereck, Bay. Bodensee
Württemberg: Bereiche: Remstal-Stuttgart,
    Württb. Unterland, Kocher-Jagst-Tauber
Baden: Bereiche: Bodensee, Markgräfler-
    land, Kaiserstuhl-Tuniberg, Breisgau,
    Ortenau

Qualitätsweine bestimmter Anbaugebiete sind unterteilt in:

a) *Qualitätsweine,* die angereichert sein dürfen; in der Umgangssprache leider kurz als QubA.-Weine bezeichnet.

b) *Qualitätsweine mit Prädikat,* die nicht angereichert
   sein dürfen; in der Umgangssprache als Prädikatsweine bekannt.

Was ist »Deutscher Wein«?

Deutscher Wein darf nach dem Gesetz nur aus in
Deutschland geernteten Trauben gewonnen werden,
und zwar nur aus Trauben empfohlener, zugelassener
oder vorübergehend zugelassener Rebsorten und aus Re-
benanlagen innerhalb festumgrenzter Anbaugebiete.
Nicht zu verwechseln mit Markennamen deutscher
Wortprägung, die den Zusatz tragen: Tafelwein, Weißwein bzw. Rotwein, aus den Ländern der EG.

Weinkategorien:

Nach dem vierten Gesetz zur Abänderung des Weingesetzes 1971 vom 27. 7. 1982 wurden folgende »Weinkategorien« festgelegt:

Weißwein aus Weißweintrauben
Rotwein aus rot gekelterten (auf der Maische vergorenen) Rotweintrauben
Roséwein (oder Weißherbst) aus hell gekeltertem Most
   von Rotweintrauben (d. h. aus Rotweintrauben, die
   sofort nach der Lese wie Weißweintrauben gekeltert,
   also nicht auf der Maische vergoren wurden).

Die Bezeichnung »Weißherbst« ist allein Qualitätswei-
nen aus Rotweintrauben der bestimmten Anbaugebiete:

Ahr, Baden, Franken, Rheingau, Rheinhessen, Pfalz
und Württemberg, vorbehalten. Außerdem dürfen die
Weine nur von einer einzigen Rebsorte stammen, deren Name auf dem Etikett angegeben werden muß;

z. B. Spätburgunder – Weißherbst, Portugieser – Weißherbst.

Rotling: (oder Schillerwein):

aus einem Verschnitt von Weiß- und Rotweintrauben oder deren Maische. Die Bezeichnung »Schillerwein« darf nur in Württemberg verwendet werden und nur für Qualitätsweine.

Badisch-Rotgold mit Zusatz: Grau- und Spätburgunder:

nur für Qualitätsweine aus dem bestimmten Anbaugebiet Baden

Perlwein:

Wein der unter Kohlensäuredruck steht und erkennbar perlt.

*Was sind Tafelweine,
was Landweine?*

Nach der EG-Weinmarktordnung darf ein Wein dann als Tafelwein bezeichnet werden, wenn er

– ausschließlich aus empfohlenen, zugelassenen oder vorübergehend zugelassenen Rebensorten stammt;
– im EG-Raum hergestellt wird;
– nach etwaiger Anwendung von Anreicherungsverfahren mindestens 8,5 Vol. % = 67 g/l an tatsächlich vorhandenen und einen Gesamtalkohol*) von höchstens 15 Vol. % = 119 g/l aufweist;
– einen in Weinsäure ausgedrückten Gesamtsäuregehalt von mindestens 4,5 g/l besitzt.

*) Unter Gesamtalkohol wird der tatsächlich vorhandene + potentieller Alkohol als Zuckerrest verstanden.

Unter »Anreichern« versteht die Weinwirtschaft die Erhöhung des Gesamtalkoholgehaltes eines Weines mittels Trockenzucker, wässeriger Zuckerlösung, Traubenmostkonzentrat, rektifiziertes Traubenmostkonzentrat und durch Teilkonzentrierung des Mostes.

Die Anreicherungshöchstgrenze wurde generell für die Zone A mit 3,5 Vol. % festgesetzt, für die Zone B mit 2,5 Vol. %.

Da der tatsächliche Mindestalkoholgehalt der Tafelweine 67 g/l = 8,5 Vol. % betragen muß, die Anreicherung aber höchstens um 3,5 Vol. % erfolgt sein darf, muß das natürliche Ausgangsmostgewicht 8,5 Vol. % – 3,5 Vol. % = 5 Vol. % = 44° Öchsle mindestens betragen. Möste unter diesem Mindestöchslegewicht dürfen nicht zu Wein verarbeitet werden; auch darf ein Tafelwein – entsprechendes gilt auch für Landwein – der weniger als 67 g/l = 8,5 Vol. % wirklich vorhandenen Alkohol nicht hat, nicht als Tafelwein oder Landwein bezeichnet werden. Möste mit einem Mostgewicht von 44° bis zu 60° Öchsle müssen in Baden, Franken, Rheingau, Rheinpfalz und Rheinhessen zu Tafelwein verarbeitet werden bis zu einem Gesamtalkoholgehalt von 91° bei Weißweinen, als Höchstgrenze, = 11,5 Vol %, bei Rotweinen bis zu 95° = 12 Vol. %; in den Weinanbaugebieten Mosel, Saar-Ruwer, Nahe und Württemberg nur Möste unter 57° = 7 Vol. %; in Württemberg gelten diese Werte auch für Silvaner, Trollinger und Lemberger.

In der Zone B dürfen Tafelweine (Weiß) um 2,5 Vol. % bis auf 95° = 12 Vol. %, Rotweine auf 100° = 12,5 Vol. % angereichert werden (also muß das Ausgangsmostgewicht mindestens 8,5 – 2,5 = 6 Vol. % = 50° Öchsle betragen). *Deutscher Tafelwein* muß aus in den deutschen Weinbaugebieten empfohlenen, zugelassenen oder vorübergehend zugelassenen Rebensorten stammen, seine Anreicherung darf nur in der gleichen Weinbauzone, also A oder B, von Landweinen nur im gleichen Gebiet (z. B. Bayern, Baden, Nahe etc.) erfolgen.

Was ist »Traubenmostkonzentrat«,
was »Rektifiziertes Traubenmostkonzentrat«,
was »Teilkonzentrat«?

a) »Traubenmostkonzentrat« wird aus Most durch Verdampfen des Wasseranteiles hergestellt und muß bei 20° C mindestens 240° Öchsle = 624 g Zucker/l haben.

b) »Rektifiziertes Traubenmostkonzentrat (RTK)« wird außer durch Verdampfen des Wasseranteiles auch mittels anderer stärker wasserentziehenden Methoden (z. B. Vakuum) gewonnen und muß mindestens 350° = 910 g Zucker/l Mostgewicht besitzen.

c) Die »Teilkonzentration« des Mostes wird entweder in gleicher Weise durch Verdampfen oder durch Unterkühlung (Kälteeinwirkung) vorgenommen und dem Restmost wieder zugefügt. Das Eindicken des Mostes hat eine Zucker- und Extraktanreicherung zur Folge, womit beispielsweise bei unreifen Mösten eine allzu starke Qualitätsverminderung verhindert werden kann.

Landweine sind gehobene Tafelweine, gehoben im Alkoholgrad um 0,5 Vol. %, also in der Zone A; von 50° Ausgangsmostgewicht auf 71° Mindestalkohol = 9 Vol. % als tatsächlich vorhandener Alkohol. Die Bezeichung Landwein setzt voraus, daß der Wein ausschließlich aus Weintrauben stammt, die in dem vom Gesetz vorgeschriebenen Raum geerntet wurden und, daß weder konzentrierter Traubenmost zugesetzt noch eine Konzentrierung des Mostes vorgenommen wurde. Die Bezeichnung »Landwein« darf nur verwendet werden, wenn seine Herstellung behördlich genehmigt wurde. Landweine haben ihren eigenen behördlicherseits genehmigten Namen (s. S. 100), müssen aber in der Kennzeichnung immer den Zusatz tragen: »Deutscher Tafelwein«. Für Landweine gibt es keine Markennamen. Die im Weingesetz vom 27. August 1982 für deutsche Landweine festgelegten Namen garantieren, daß in deutschen Landweinen keine Auslandsweine enthalten sind; darüber hinaus, daß sie nicht zu süß, sondern nur trocken bis halbtrocken und gebietstypisch sind. Der Gebietstyp kann außerordentlich vielgestaltig sein. Darum hat auch wohl Franken es abgelehnt, einen eigenen Landwein herauszustellen. Die Vielschichtigkeit nach Sorten und Klima des fränkischen Weinbaugebietes müßte im Falle, daß es Fränkische Landweine geben sollte, für die Namensgebung fränkischer Landweine maßgebend sein. Einen einheitlichen Fränkischen Landwein kann es nicht geben, aber einen Steigerwälder Landwein, einen Hammelburger Landwein, einen Aschaffenburger-Klingenberger-Landwein und schließlich einen Landwein vom Muschelkalk/Main. Wenn Landweine gebietstypisch sein sollen, sollte verlangt werden, daß sie auch im Alkoholgehalt so gehalten werden, wie dieser normalerweise von Natur aus im Ausgangsmostgewicht vorhanden wäre, nur dann sind sie wahrheitsgemäß »gebietstypisch«. Früher, d. h. vor 1971 lagen die gebietstypischen Weine bei 6 Vol. % Alkohol und höher; sie waren trocken und naturbelassen. Und noch im Jahre 1983 konnte eine 1960er oder 1964er mit 58 – 60° Originalabfüllung das Herz eines ergrauten Weingenießers höher schlagen lassen. Aber das Gesetz von 1971 verbietet es, solche prächtigen vergorenen Traubenmöste als Wein zu bezeichnen, weil sie zu wenig Alkohol haben.

Was sind Qualitätsweine?

Nach § 1 Abs. 3 Qualitätswein eines bestimmten Anbaugebietes (Qu. b. A.) ist, soweit es sich um inländischen Wein handelt, der Wein, dem auf Grund einer Qualitätsprüfung nach §14 eine Prüfungsnummer als Qualitätswein (§ 11) oder Qualitätswein b. A. (§ 12) zuerkannt worden ist. Das ist die kalte Sprache der Verwaltungstechnik.

Die im Weingesetz als Qualitätsweine herausgestellten Gruppen würden die Gruppe der Nichtqualitätsweine, also die Tafelweine und Landweine unberechtigterweise diffamieren, wenn man Qualitätswein = Weinqualität setzen würde. Zwischen Qualitätswein und Weinqualität besteht ein grundsätzlicher Unterschied. Um es deutlich zu machen, sei auf andere Gebiete hingewiesen, in denen auch mit Qualitätswaren gehandelt wird; z. B. gibt es Qualitätsstahl, aber die Stahlqualität der verschiedenen Herstellungsländer ist unterschiedlich; ebenso wie bei genormten Qualitätsbrot, wo die Brotqualitäten der verschiedenen Bäckereien recht verschieden sein können. So verhält es sich auch bei Qualitätswein und Weinqualität.

Der Marktwert eines Weines liegt ja nicht darin, daß er eine Nummer hat, sondern in seiner Weinqualität, die hinwiederum zu unterscheiden ist in Marktqualität, Geschmacksqualität und Genußqualität. Weil man diese Qualitätsstufen nicht in Paragraphen fassen kann, wird im Zuge der allgemeinen Vermassung von Qualitätswein schlechthin gesprochen.

Voraussetzungen für die
Bezeichnung »Qualitätswein«

Als Qualitätswein in der Obergruppe Qualitätsweine bestimmter Anbaugebiete (Qu. b. A.-Wein) darf inländischer Wein nur gekennzeichnet werden, wenn für ihn auf Antrag eine Prüfungsnummer zugeteilt wurde. Mit dieser Prüfungsnummer, die auf dem Etikett vermerkt ist, ist an und für sich die Marktfähigkeit eines Weines von Amtswegen besiegelt.

Voraussetzung für die Erteilung dieser Prüfnummer ist, daß:

1. die verwendeten Weintrauben ausschließlich von empfohlenen und zugelassenen Rebsorten der Art Vitis vinifera stammen,
2. die Weintrauben ausschließlich aus einem einzigen bestimmten Anbaugebiet stammen und der Wein grundsätzlich in diesem hergestellt ist,
3. der aus den verwendeten Weintrauben gewonnene Most mindestens die von den weinbautreibenden Ländern für jedes Anbaugebiet und für jede Rebsorte festgesetzten Ausgangsmostgewichte aufgewiesen hat,
4. der vorhandene Alkoholgehalt mindestens 7° = 56 g/l beträgt und der Wein einen Mindestgesamtalkoholgehalt von 9° = 71 g/l aufweist;
5. konzentrierter Traubenmost nicht zugesetzt und eine Konzentrierung nicht vorgenommen wurde;
6. der Wein im Aussehen, Geruch und Geschmack frei von Fehlern und bei Angabe einer Rebsorte für diese Rebsorte typisch ist.

Voraussetzung für die Kennzeichnung »Qualitätswein mit Prädikat«.

Als Qualitätswein mit einem Prädikat (Kabinett, Spätlese, Auslese, Eiswein in Verbindung mit einem dieser Prädikate, Beerenauslese und Trockenbeerenauslese) darf inländischer Wein nur gekennzeichnet werden, wenn ihm das Prädikat auf Antrag unter Zuteilung einer Prüfungsnummer zuerkannt wurde.

Voraussetzung für die Zuteilung des beantragten Prädikats ist, daß

1. sämtliche vorgenannten Bedingungen für Qualitätsweine erfüllt sind. Darüber hinaus müssen:
2. die verwendeten Trauben in einem einzigen Bereich geerntet und in einem einzigen bestimmten Anbaugebiet verarbeitet worden sein,
3. die aus den verwendeten Weintrauben gewonnenen Moste die von den Weinbauländern festgesetzten Mostgewichte aufgewiesen haben,
4. dabei werden für Spätlese bis Trockenbeerenauslese, nach dem Prädikat abgestufte Mostgewichte verlangt. Außerdem müssen zusätzliche Voraussetzungen erfüllt sein:

a) Eine Erhöhung des natürlichen Alkohols darf nicht vorgenommen werden, d. h. sie dürfen nicht angereichert sein.
b) Ein mit einem Prädikat ausgezeichneter Wein darf nicht vor dem 1. Januar des folgenden Jahres in den Verkehr gebracht werden.

Qualitätswein und Weinqualität

Die Zugehörigkeit, die amtlich anerkannte Einstufung in die Gruppe der Qu. b. A.-Weine sichert zwar die Marktwürdigkeit, ist aber nicht bestimmend für den Marktwert. Dieser ergibt sich allein aus der Weinqualität, die recht unterschiedlich ist.

»Unter Qualität eines Weines« versteht man die natürliche harmonische Zusammensetzung von Inhaltsstoffen, welche eine bekömmliche, optimale Wirkung auf Sinne und Wohlbefinden auch nach Stunden noch ausübt. (frei nach Bayer). Aus dieser Definition könnte man die einzelnen Weinqualitätsstufen wie folgt charakterisieren:

»*Marktwert*«, inkl. Verkehrswert: Der Wein muß frei von Fehlern sein, blitzblank, sauber im Geruch und reif, auf der Flasche haltbar und lagerfähig sein.

Der »*Geschmackswert*« wird außerdem nach Harmonie im Bukett, Körper und Abgang, nach Duft und Frucht, nach Inhalt, Charakter und Eleganz, nach Säure und Nachklang gemessen.

Der »*Genußwert*« endlich sollte den wichtigsten Teil der Qualitätsbewertung umfassen, was leider zu wenig geschieht, da man sich offenbar behördlicherseits bis heute noch nicht mit den einzelnen Fakten befaßt hat, die den »Grad der Bekömmlichkeit« bestimmen.

Im Gegensatz zu Tafelweinen dürfen Qualitätsweine wie Landweine nur mittels Sacharose (Rohrzucker = Rübenzucker) angereichert werden. Diese Anreicherung wird weidlich ausgenutzt; selbst wenn die Möste zu Kabinettweinen hätten vergären können, werden sie zwecks Alkoholerhöhung verbessert, da angereicherte Qualitätsweine besser bezahlt werden als die nicht angereicherten Kabinettweine. Auch im Ausschank der Weinstuben und Gaststätten sind Kabinettweine meist billiger als Qualitätsweine, die angereichert wurden, aber unter dem Sammelnamen Qu. b. A.-Weine angepriesen werden.

Für letztere, so wünschen es Großkellereien, soll bevorzugt geworben werden, da Qualitätsweine in größeren Mengen hergestellt werden können und bei hohen Preisen wirtschaftlicher sind. Es wird dabei nicht gefragt, was der Kunde dazu sagt.

Zusätzliche Voraussetzungen für die höheren Prädikate

Bei »*Spätlesen*« müssen die Weintrauben in einer späten Lese der jeweiligen angegebenen Rebsorte und im vollreifen Zustand gelesen sein.

Bei Auslesen dürfen nur vollreife Weintrauben unter Aussonderung aller kranken und unreifen Beeren verwendet werden.

Bei »*Beerenauslesen*« dürfen nur edelfaule oder wenigstens überreife Beeren verwendet werden.

Bei »*Trockenbeerenauslese*« dürfen nur eingeschrumpfte, edelfaule Beeren verwendet werden. Bei Beeren- und Trockenbeerenauslesen ist ein tatsächlicher Alkoholgehalt von nur 5,5 Vol. % erforderlich, das sind 43 g/l.

Ist der Wein aus Weintrauben hergestellt, die bei ihrer Lese und Kelterung gefroren waren, wird zusätzlich zu den vorgenannten Prädikaten das Prädikat »*Eiswein*« zuerkannt.

Da im allgemeinen dank des inneren Druckes in den hochkonzentrierten Traubenmösten die Hefen in ihrer Vermehrung und damit in ihrer Enzymtätigkeit gehemmt werden, verläuft die Vergärung nur sehr langsam, oft über 12 – 14 Monate. Wenn der Kellermeister die Geduld aufbringt und die Vergärung seiner hochwertigen Möste überwacht, wird er einen Jahrhundertwein erhalten. Heute ist es jedoch so, daß sowohl Geduld wie Zeit fehlen. Man achtet nur auf die Mostgewichte, nicht mehr auf den Wein. So werden massenweise Beeren- und Trockenbeerenauslesen angeboten, zu Billigstpreisen, die sie oftmals nicht einmal wert sind. Diese Vermassung, selbst der sonst sehr seltene Beeren- und Trockenbeerenauslesen hat nichts damit zu tun, daß früh reifende Rebsorten im Anbau sind, die jedes Jahr Weine hervorbringen, die keiner Anreicherung bedürfen. Auch von ihnen und mit ihnen lassen sich wertvolle hochqualifizierte Beerenauslesen herstellen, wenn man den Lesezeitpunkt der edelfaulen Beeren beachtet, edelfaule Trockenbeeren von kranken Beeren bei der Lese unterscheiden kann und im Keller diese Auslesen so behandelt, daß sie wirklich Spitzenweine ergeben. Wenn man sie aber sozusagen durch die Gärung jagt, darf man von ihnen nicht mehr als süße Weine erwarten. Meine Erfahrungen dieserhalb reichen vom Schiedsrichter bis zum stellvertretenden Gastgeber des Ministers. Ich darf daher die Meinung vertreten, daß selbst der Anfänger bald zwischen einer modernen Beeren- und Trockenbeerenauslese und einer traditionsreichen unterscheiden lernt. Die Unterschiede sind allzu deutlich.

Seitdem mit dem fünften deutschen Weingesetz von 1971 für die Bezeichnungen Beeren- und Trockenbeerenauslesen lediglich die Mostgewichte von 125° bzw. von 150° festgesetzt wurden, wird auf die Einzelauslese der Beeren mehr und mehr verzichtet. Früher, d. h. noch in den Jahren 1945–1971 trugen ausgewählte Lesefrauen ein zweigeteiltes Lesegefäß vor sich, in welches die feuchtfaulen Edelbeeren, die also noch etwas Traubensaft erkennen ließen, und die wie Rosinen eingetrockneten Edel-Trockenbeeren getrennt gelesen wurden. Nur diese Beeren kamen für die Bereitung von Beeren- und Trockenbeerenauslesen in Frage. Um eine genügende Menge zusammen zu bekommen, brauchte man mehrere Tage. Für solche Spitzenweine wurden gerne Höchstpreise bezahlt, ihre Lagerfähigkeit war und ist fast unbegrenzt.

Alle Prädikatsweine müssen von einem Labor der staatlichen weinchemischen Untersuchungsanstalt einer chemischen Analyse unterworfen werden, denen eine sensorische Prüfung folgt, die von einer seitens der Regierung bestellten Prüfungskommission durchgeführt wird.

Diese Prüfung hat nun mit einer Prüfung auf Weinqualität nicht viel gemeinsam. Wenn innerhalb von vier Stunden 50–80 Weine getestet werden sollen, so kann man sich nach Erinnerung der persönlichen Analyse eine Geschmacks- und Geruchsprüfung nur vorstellen, daß den einzelnen Weinen lediglich durch Zuteilung einer Prüfnummer insofern Gerechtigkeit wiederfahren könnte, als ihre Qualität der Norm entspricht.

Stolpersteine für die merkantile Basis

Für alle EG-Staaten gibt es außer den zwei Weinarten: Tafelwein und Qualitätsweine bestimmter Anbaugebiete (Qu. b. A.-Weine), auch zwei weitere Gruppen, nämlich die »Angereicherten« und die »Nichtangereicherten«. Das darf zwar auf dem Etikett nicht angegeben werden, sondern man setzt voraus, daß der Kunde das weiß.

Die Anreicherung

Mit der erlaubten Anreicherung wurde ein erster Stolperstein gelegt. Zu den erlaubten Anreicherungsmitteln kam im bundesdeutschen Raum nicht ausdrücklich erlaubter Flüssigkeitszucker, der außer zur Alkoholanhebung auch zur Erzielung von Spät- und Auslesen unter Volumenvermehrung beitrug. Die den Weinbaugebieten Mosel-Saar-Ruwer und dem Mittelrhein in geringen Witterungsjahren bis 1979 erlaubte Zusetzung von wässeriger Sacharose (sprich: Zuckerwasser) wurden nicht nur bis zum 1. März 1984 verlängert, sondern in der Zwischenzeit auch den rieslingsberühmten Weinbaugebieten Rheingau und Nahe gewährt. Damit wurde ein Startzeichen auch solchen Winzern gegeben, die außerhalb dieser Weinbaugebiete lagen und sie begannen auch ihrerseits die Weine mittels wässeriger Zuckerlösung zu vermehren und zu verstärken, was ihnen jedoch verboten war. Seit 1971 standen an der Spitze der deutschen Weine nicht mehr wie nach dem vierten Weingesetz von 1931 die trockenen, naturbelassenen Weine, sondern die angereicherten, trockenen und vor allem solchen, denen ein Süßigkeitsgrad kellertechnisch beigefügt wurde und für die eine bevorzugte Werbung verlangt wird. Nach der neuen EG-Verfügung ist generell der Zusatz von wässeriger Zuckerlösung endgültig verboten (ab 1. 9. 1984). Ob es bleibt, ist fraglich. Die EG-Kommission hat in Reformvorschlägen angeregt, statt Sacharose konzentrierten Traubenmost zur Anhebung des Alkoholgehaltes zu verwenden. Die Kommissionsvorschläge sind inzwischen von verschiedenen Seiten, namentlich von der Zuckerindustrie (WWZ = Wirtschaftliche-Vereinigung-Zucker) heftig kritisiert worden. Sie wertet mit Recht, daß die EG-Kommission die Überschüsse des Weinmarktes zu Lasten der Zuckerindustrie beseitigen will. Bereits 1979 wurden derartige Vorschläge seitens der EG bekannt, als der Weinüberschuß in der EG 6,5 Mill. hl betrug. Heute ist dieser Überschuß auf 10 Mill. hl angestiegen und er wird weiter steigen, wenn Spanien und Portugal Mitglieder der EG werden. Wenn dieser Überschuß zu Traubenkonzentrat verarbeitet würde, würde der Zuckerindustrie im EG-Raum 2 550 000 t Weißzucker nicht abgenommen. Auch in der deutschen Zuckerindustrie ist ein Überschuß vorhanden, von dem sie 3,5 Mill. t exportieren muß. Es ist zu vermuten, daß über kurz oder lang die Anreicherung der Traubenmöste mittels Rübenzucker bzw. Rohrzucker (Sacharose) wirklich verboten wird, um vor allem die Weinüberschüsse abzubauen. Natürlich müssen Schwierigkeiten und weitere Qualitätseinbußen bei der Umstellung in Kauf genommen werden. Die größte Gefahr ist darin zu suchen, daß in Frankreich und Portugal die Hybridentrauben bevorzugt zur Herstellung von Traubenkonzentrat verwendet werden könnten, wodurch dann den Vinifera-Weinen eine Minderung ihrer Geschmacks- und Genußqualität sicher wäre.

Die Süßhaltung

Ein weiterer Stolperstein wurde die nach dem Kriege einsetzende »Süßhaltung« und in der weiteren Entwicklung die kellertechnisch genormte Süßung deutscher Weine. Die Süßung mittels unvergorenen Traubensaftes täuscht Bukette vor, die weder der Sortenangabe noch dem Sortencharakter entsprechen, die auf dem Etikett angegeben werden. Es ist schon erstaunlich, was dem Weinkunden heute alles zugemutet wird zu glauben. Um nur zwei Beispiele aus den letzten Monaten zu nennen, gibt es neuerdings bukettreiche Silvaner, »balsamisch-aufdringlich-duftend«, zwiespältig im Körper und Charakter und mit einem Nachgeschmack nach der Straße, oder Müller-Thurgau-Weine, die oft keinen Tropfen dieser Sorte enthalten dürften. Darauf angesprochen entschuldigt sich der Gastronom, so seien sie ihm geliefert worden und seien »geprüfte Qualität«.

Auch die Weinbauländer, die in die Bundesrepublik exportieren wollten, verstanden es bald, ihren Weinen, die für Deutschland bestimmt waren, die bundesdeutsche Süße zu geben. Darüber hinaus importierten bundesdeutsche Weinkellereien trockene Weine aus Frankreich und Italien, germanisierten sie, egalisierten sie mit definierbaren Weinbuketten und nivellierten sie geschmacklich. Die Großkellereien geben es auch zu, daß sie Auslandsweine, um die Wirtschaftlichkeit in »weinschwachen Jahren zu erhalten«, in ihren Kellern einlagerten, berichten aber nirgendwo, daß sie auch als ausländische Weine wieder abgesetzt wurden; im besten Falle mit deutschen Namen (aus EG Ländern). Der Geschäftsführer des rheinhessischen Weinbauverbandes konnte in der Zeitschrift »Der Deutsche Weinbau 1983« schreiben, daß von drei Flaschen Wein im deutschen Export nach Dänemark nur eine Flasche wirklich deutschen Wein enthalte. Auf diese Weise sollen in den letzten Jahren rund 10 Mill. hl germanisiert worden sein.

Die Geschmacksnivellierung

Infolge der »*Geschmacksnivellierung*« durch die Großkellereien wird auch die gesetzlich bestimmte sensorische Qualitätsprüfung für Qualitätsweine infrage gestellt, um nicht zu sagen überflüssig. Denn der nivellierte Geschmack ist sozusagen genormt und die Prüfungskommission hat sich unbewußt auf diesen eingependelt. Die genormte Qualität, in der Reklame als geprüfte Qualität bezeichnet, ist ein Zeichen der Vermassung der Weine. Ich habe dieses bereits 1965 schriftlich zum Ausdruck gebracht, bevor sie amtlich wurde, und wiederhole es, selbst, wenn sich wiederum die Gegenstimmen erheben, die dies nicht wahrhaben wollen. Mittlerweile aber haben es die Verantwortlichen großer Kellereien selbst eingesehen und deutlich ausgesprochen. Die Weinqualität, die von der genormten Qualität abweicht, ist ein Außenseiter und wird abqualifiziert, so wie es vergleichende Erscheinungen in der Vermassung der Menschheit gibt. Aber ohne diese Außenseiter von Weinen, die sich durch eine persönlich gekennzeichnete Qualität auszeichnen, wäre die Kulturgeschichte des Weines und des Weinbaues bald geschrieben. Aus der Erkenntnis heraus, daß die Weinqualität im Zeitalter der Vermassung und Industrialisierung der Kellerwirtschaft genormt ist, kommt von kompetenter Seite der Vorschlag (Dr. Großer), die sensorische Qualitätsprüfung durch EDV und Computer durchführen zu lassen.

Änderung bei der Preisbildung

Mit der Einführung der Qualitätsweinprüfung hat sich auch eine entscheidende »*Änderung bei der Preisbildung*« ergeben, insofern, wie auch Dr. Bock, Geisenheim, sagt, als für Weine mit einer AP-Nummer nur noch diese als

Kriterium für den Preis gilt, und nicht mehr die Weinqualität ausschlaggebend ist. Damit wurde auch für den Erzeuger nur noch die AP-Nummer, nicht mehr die Qualität wesentlich, was zum Zerfall der guten Sitten, auch in Selbstmarkterkreisen, mit verheerenden Folgen geführt hat. So dreht sich das Rad der Geschichte auch im deutschen Weinbau: Der einzelne (Winzer) kann nicht bestehen, wenn er nicht mit den Wölfen heult und die Prüfungskommission zwingt ihn dazu!

Dazu zwei Beispiele der letzten Zeit: Im März 1984 probierte ich bei zwei Selbstmarktern die 1983er Weine. Sie waren sehr gut. Auf meine Anregung hin, die Weine so abzufüllen, antworteten beide: »Dann bekommen wir sie nicht durch die Prüfung!« Wenn im Verlaufe von vier Stunden etwa 70 Weine geprüft werden müssen, hat der einzelne Prüfer keine Zeit, weder den Körper und Charakter, geschweige denn den Nachgeschmack des zu prüfenden Weines zu kontrollieren. Daher werden die Weine schnell durchgeprobt; auf Sauberkeit im Licht und im Geruch und auf den ersten Eindruck im Munde geachtet. Auch dem besten Weinprüfer kann man nicht zuerkennen, daß er einen Wein in wenigen Minuten bewerten kann, ebenso wenig wie man einen Menschen schon nach wenigen Minuten nach seinen Qualitäten beurteilen kann. Diese Feststellung ist kein Vorwurf gegen die Prüfungskommission. Sie muß es ja geben laut Gesetz. Und eine solche arbeitet nach Vorschriften und verwaltungsgemäß. So kommt es denn auch, daß man geprüfte Weine in Flaschen findet, die im Bukett durchaus akzeptabel, im Nachgeschmack aber nach feuchtem Stroh »goît de paille«, nach Kotze sagt mein Freund Ernst, schmecken. Nennen wir sie »Playboy-Weine«, die nicht zu verwechseln sind, die der Fachmann »Pariser Mädchen« heißt. Das sind Weine mit betörenden balsamisch aufdringlichen Buketten und einem goût de moissi, die man nach der Verkostung sehr bald gerne wieder vergißt (s. S. 82). Aber solche und ähnliche Weine finden den Weg durch die Prüfungskommission, weil sie allzu schnell »geprüft« werden müssen. Sie betören im Augenblick. Zur Prüfung der Körperstärke, des Charakters und vor allem des Nachgeschmacks reicht die Zeit nicht.

Der Verschnitt

Solange die Anreicherung des Traubenmostes noch nicht salonfähig war, galt der naturreine, durchgegorene Wein als das Ziel, das sich der Winzer bereits im Weinberg setzte, durch eine späte Lese hochreifer Trauben untermauerte und mit Geduld und Sorgfalt den Most zum Wein reifen ließ. In seinen Weinen gab der Winzer doch immer etwas von seiner Persönlichkeit preis. Dazu gehörte auch der »Verschnitt«, den er selbst in tage- und wochenlangen Versuchen erarbeitet hatte. Diese Selbstmarkter-Verschnitte werden nicht nach chemischen, sondern in persönlicher Verantwortung nach qualitätssteigernden Gesichtspunkten, oft unter Opferung qualitativ hochwertiger Weine getätigt.

Wenn heute die Vertreter von Großkellereien für den sortenreinen An- und Ausbau der alten spätreifenden Sorten Silvaner und Riesling eintreten und damit versuchen eine marktwirtschaftlich attraktive Nostalgie hervorzurufen und ihre Bundestagsabgeordnete dafür einsetzen und das gekonnte Verschnittverfahren verhöhnen, so sollten sie doch berücksichtigen, daß beide alte Sorten in den meisten Jahren kellertechnischer Manipulation moderner Art bedürfen, die aus einem Müller-Thurgau ebenso einen Riesling wie einen Silvaner entstehen lassen und aus fremdländischen Traubensäften deutsche Weine produzieren.

Der Verschnitt ist zur Hebung und Persönlichkeitsabgrenzung ist eine echte kellerwirtschaftliche Maßnahme, die erlernt und beherrscht sein will. Es ist geradezu beschämend wie in Fachzeitschriften die weltberühmten Bordeauxweine diffamiert werden, weil sie ihre Art und ihren Charakter Verschnitten verdanken, die durch jahrzehntelange Bemühungen erarbeitet wurden. Die so schreiben und reden wissen auch nicht, daß der Verschnitt, das Cuvée, das Geheimnis der großen Champagnerfirmen ist. Wer den Verschnitt versteht und beherrscht, sollte ihn im Rahmen der erlaubten Prozentsätze auch anwenden. Wer aber den Verschnitt nicht versteht und beherrscht, sondern wahllos, vielleicht noch vom Computer gesteuert, Weine und Moste ohne wiederholte Voruntersuchungen mischt, der ist ein Schmierer. Auf jeden Fall ist ein fachgerechter Verschnitt der Anreicherung mittels Fremdstoffen vorzuziehen.

Dieser Auffassung hat auch die Rebenzüchtung mit ihren neuen Sorten Rechnung getragen, die das Produkt von »Verschnitt« der Erbanlagen sind. Sie wurden gezüchtet:

1. um eine Anreicherung überflüssig zu machen, selbst bei Mösten aus »geringen« Lagen.
2. zum Verschnitt mit den alten spätreifenden Sorten, um ihre Weine im Alkoholgehalt zu erhöhen ohne deren Charakter zu stören und
3. auch als Lieferanten sortenreiner Weine, die sich in ihrer Art in der Schwankungsbreite der Qualitätsleistungen der alten Sorte bewegen und von diesen lediglich noch durch ihren Sortennamen unterscheidbar sind.

Leichtweine und alkoholfreie Weine

Die Erfahrungen mit den »*alkoholisierten Weinen*« scheint jetzt eine grundsätzliche Wende herbei zu führen. Leichtweine werden aus Kalifornien angeboten, mit 7–9 Vol. % – nach deutschen Begriffen immer noch genug Alkohol.

Die »*Leichtweine*« werden bald übertrumpft werden durch die »*alkoholfreien Weine*« der EG, die ab 1. 9. 1986 auf dem Weinmarkt erscheinen werden. Sind schon alkoholfreie Weine ein Widerspruch in sich, so müssen die alkoholfreien Weine vor ihrer Entgeistung zunächst erst einmal Wein werden, um den Namen »Wein« führen zu dürfen. Man wird ihn dann so definieren: »Ein alkoholfreier Wein ist zweckdienlich angereicherter, vergorener, entgeister Traubensaft«. Die Verordnung ist so interessant und voller Problematik, daß sie wortwörtlich wiedergegeben werden soll.

§ 21 Alkoholfreier Wein (zu § 51 Abs. 3 und § 53 Abs. 3 des Gesetzes), ab 1. September heißt er: »Entalkoholisierter Wein«

(1) Getränke, die nicht Erzeugnisse im Sinne des Weingesetzes sind, dürfen hergestellt und in den Verkehr gebracht werden, wenn sie
1. ausschließlich aus Wein nach § 1 des Weingesetzes unter schonender Entgeistung im Vakuumverfahren hergestellt wurden,
2. weniger als 0,5 Vol. % Alkohol enthalten und
3. deutlich als entalkoholisierter Wein auf den Flaschen, Behältnissen, Verpackungen, Getränkekarten und Preislisten bezeichnet sind.

(2) Getränke, die den Bestimmungen des Absatzes 1 entsprechen, dürfen durch Vermischen mit Wein hergestellt werden, wenn sie

1. ausschließlich in das Ausland verbracht werden

2. weniger als 2 Vol. % Alkohol enthalten und

3. deutlich als leicht alkoholischer Wein bezeichnet sind

(3) Schäumende Getränke, die durch Vergärung oder unter Zusatz von Kohlensäure aus Getränken, die den Bestimmungen des Abs. 1 entsprechen, hergestellt sind, dürfen in den Verkehr gebracht werden, wenn sie

1. weniger als 2 Vol. % Alkohol enthalten und

2. deutlich als aus entalkoholisiertem Wein hergestellt auf Flaschen, Behältnissen, Verpackungen, Getränkekarten und Preislisten bezeichnet sind.

Die geistige Substanz des Weines

»Dies ist der Trunk,
Der Unmutszwang,
Durch den wir
Fröhlich werden,
Der unsern Geist
Der Pein entreißt,
Gibt fröhliche
Gebärden;
Er tut uns kund
Des Herzens Grund,
Kein süßer Saft
Gibt denen Kraft,
Zu reden,
Die sonst schweigen.«

Simon Dach

Wie früher, so wird auch heute dort, wo Menschen beim Wein sitzen, über Wein diskutiert. Das ist in der heutigen Zeit um so bedeutsamer, als von den drei Erkenntnisbereichen: Theologie, Philosophie und Naturwissenschaft letztere die Führung übernommen hat und den Menschen Einblicke an den Grenzen des Unteilbaren in die das Unendlich-Große tun läßt und ihn an die Schwelle eines gewaltigen Umsturzes stellt. Auch in dieser Epoche, in der die Physik der Menschheit neue Räume und Welten erschließt, seinen Lebensmöglichkeiten neue Dimensionen schafft, bleibt der Wein das Ideen-Schaffende und Phantasie-Anregende und -Erleuchtende Medium, dessen sich die Menschheit seit seines Erkanntwerdens bedient.

In diesem Zusammenhang verdient eine Notiz in der Zeitschrift: »Die Umschau« vom 9. Dezember 1983 Erwähnung. Es heißt dort sinngemäß: Bevor am 27. Juli 1983 im englischen Seebad Brighton die internationale Hochenergiekonferenz zu Ende ging, holte der Redner des Schlußvortrages, der theoretische Physiker *Martinus Veltmann* eine Flasche Wein unter dem Rednerpult hervor und trank unter dem Beifall der mehr als 600 Elementarteilchen-Physiker ihnen zu. Ungewollt oder bewußt zollte *Martinus Veltmann* mit dieser Geste dem Wein als Psychoenergetikum auch im Bereich naturwissenschaftlicher Forschung seine Anerkennung. Mag dies dem einzelnen auch noch nicht bewußt werden, was das bedeutet. In seiner Gesamtheit bleibt der Wein das lodernde Feuer der kulturellen Entwicklung der Menschheit, wenn in Laboratorien und im Weltenraum Dinge geschehen, die unsere bisherigen Vorstellungen von Energie und Materie, von Himmel und Erde sprengen. Was hat der Wein damit zu tun?

Bei der Vertiefung in das Wesen eines Weines und um dessen Klärung muß vor allem der Wissenschaft von Information und Regelung (Kybernetik) ein bedeutender Platz in der Methodik der Analyse zugeschrieben werden. Es ist vorläufig ein Gebot erkenntniskritischer Betrachtung und Sachlichkeit, dem persönlichen Ermessen anheim zu stellen, von der Richtigkeit der Deutung eines Weines in der einen – rein materialistischen – oder anderen — psychoenergetischen — Auffassung überzeugt zu sein und als Theorien zu betrachten, die sich noch als wahr zu beweisen haben. Daß beiden theoretischen Richtungen ein höherer Grad von Wahrscheinlichkeit zuerkannt werden muß, wenn man sie von verschiedenen Gesichtspunkten aus betrachtet, kann nicht bezweifelt werden. Es geht nur darum zu erkennen, daß es nach dem derzeitigen Stand der Erkenntnisse keine energiefreie Materie, wohl aber eine materiefreie Energie gibt.

Wenn man den Wein nur als Ware betrachtet, wie es heute zu 90 % in der gesamten Weinwirtschaft geschieht, dann ist die materialistisch-mechanistische Auffassung gerechtfertigt, die in ihrer letzten Konsequenz in der Germanisierung und Müller-Thurgau-Egalisierung fremdländischer und sortenunterschiedlicher Weine ihre marktgerechte Realisierung erfahren hat.

Wenn man aber den »Wein« als des Menschen stillen erhabenen Geist bewertet, der zusammen mit dem Brot Ausgangspunkt und Begleiter einer grandiosen Kulturgeschichte ist, dann wird man doch nachdenklich. Man muß dann den Wein als Informationsquelle auffassen, der nach biophysikalischen Gesetzmäßigkeiten im Menschen einen psychoenergetischen Mechanismus in Gang setzt, der normalerweise wenigstens in seinem Umfang und in seiner Qualität unbekannt bleiben würde.

In dieser Auffassung beginnt sich der Fragenkomplex um die geistige Substanz des Weines einerseits und um die Seele des Weines andererseits in zwei Problemkreise zu trennen, nämlich zunächst in der materialistisch-mechanistischen Erkenntnismethodik in der Frage nach der geistigen Substanz als Ablauf biophysikalischer Gesetzmäßigkeiten, aber eines psychoenergetischen Prinzips, wodurch Eigenschaften des Weines bislang unbenutzte Areale im menschlichen Denkapparat berühren und in Gang setzen, die nach biophysikalischen Gesetzmäßigkeiten neue Gedankengänge weiter entwickeln und unter Umständen neue Kulturepochen schaffen können. Im allgemeinen werden solche Denkanstöße wohl zunächst im Menschen als Einzelwesen aufgenommen und verarbeitte. Sie machen in dieser Form das Leben des einzelnen inhaltsreicher, erfolgreicher, freier und der Welt zugewandt.

Aber der Wein beeinflußt nicht nur den Denkapparat des Weinfreundes, er beflügelt nicht nur seine Worte und seine Schrift, er macht ihn auch innerlich frei von Kummer und Not, läutert sein Gemüt, macht selbst den Bösartigen gut und den Geizigen freigiebig, macht den Rechtschaffenen stark im Kampf mit den Unbilden des täglichen Lebens, gibt ihm eine gottgesegnete Geduld u. a. m.

Zwischen Mensch und Wein besteht offensichtlich ein unerhörtes und unlösbares Wechselspiel, sofern man dieses Spiel natürlich mitspielt. Wir haben es in diesem Spiel zwischen den Weinfreunden und den Weinen mit einer idiotypisch variablen Pluralität auf jeder Seite zu tun, die also Informationsquelle und Rezeptor zugleich sind, in der sich jedoch die eine Informationsquelle und der eine Rezeptor – nämlich der Mensch – durch Bewußtsein und Bewußtwerden und Phantasie auszeichnet. Dadurch wird zwar die Bedeutung des Menschen beim Weingenießen unverkennbar. Jedoch vermag der Wein in ihm den Riegel der biophysikalisch bedingten

Ratio zu sprengen und er setzt Empfindungen frei, die in die Sphären des Absoluten reichen.

Dabei sollten wir bedenken, daß die wissenschaftliche Wahrheit, auch die naturwissenschaftliche immer nur eine relative sein kann, nie die absolute. Nichtsdestoweniger hat die wissenschaftliche Wahrheit in allen Lebensbereichen des Menschen über Jahrhunderte und Jahrtausende außerordentliche Epochen eingeleitet und beherrscht, gleichgültig, ob man die wissenschaftliche Wahrheit als Ideen erkannt hat oder lediglich als Produkt im Wechsel biophysikalischer Reaktionen.

So wären dann auch die Ideen des alten Hellas, des Christentums, der Rennaissance, der verschiedenen philosophischen Lehren nichts anderes als das Zusammenspiel biophysikalischer Gesetzmäßigkeiten? Und doch erkennt man zwischen diesen und jenen Systemen aus den philosophisch-theologischen Erkenntnisbereichen einen deutlichen Unterschied zu denen, die aus der Naturwissenschaft gewonnen wurden. Also müssen wir versuchen, andere Wege zu gehen, um weiter über die geistige Substanz des Weines hinaus in seine Seele vorzustoßen, indem wir den Mythos um den Wein herausfordern, der die Literatur aller kulturhistorischen Epochen durchzieht und die Phantasie der Dichter und Musiker belebte.

Vom Mythos des Weines

»Du meinst, er sei kein Gott gewesen,
Weil eine Frucht er in ein Zaubermittel
umschuf, das Ernste froh macht, Alte jung,
Der Jugend Mut gibt; Kummer seiner Not,
Furcht der Gefahr enthebt und neue Welten
Auftut, wenn diese hier verblaßt.«

Byron, Sardanapal

Aus den jahrhundert- und jahrtausendlangen Erfahrungen, welche die abendländische Menschheit im Umgang mit dem Wein gesammelt hat, aus den Einwirkungen auf ihre kulturgeschichtliche Entwicklung, als Schöpfer wie als Erhalter ihrer Kulturen, hat sich bis zum heutigen Tag ein Mythos um den Wein entwickelt, der in ihm als Seele schlummert und auf die man rückschauend, und immer nur rückschauend schließen kann. *Ortega y Gasset* sagt dazu: »Ich brauche wohl nicht zu bemerken, daß man einer Sache keineswegs abspricht, daß sie auf einer Wirklichkeit beruhe, wenn man sie Mythos nennt. Nichts ist Mythos, was nicht in sich den Kern einer menschlichen Erfahrung trägt. Wenn dieses fehlt, dann spricht man nicht von Mythos, sondern von ›Dummheit‹... Es ist beschämend, daß man ständig solche Bemerkungen machen muß...«

Die Seele im Wein ist nicht das absolut Gute, sondern das Bessere, das ihn aus allen anderen Früchten der Erde und ihren Produkten hervorhebt; es ist das »Ausgezeichnete«. Die Materie »Wein« ist lebendig, sie ist wesenhaft und konstutiv, geladen mit psychischer Elektrizität. Die chemischen Substanzen, und wenn sie bis ins einzelne analysiert würden, würden nie eine Seele besitzen, obwohl man ihnen biophysikalische Reaktionen und Gesetzmäßigkeiten nicht absprechen kann.

Unsere Erfahrung in der Welt des Weines ist ein Leben mit dem Wein. Sie entsteht langsam und ist wie ein Schneeball, »der im Rollen mit seinem Wachstum wächst, wobei es ist, als ob auf seiner Rückseite der Weg ausgerollt ist, den er sich bahnt.« Indem man seine Weinerfahrung sammelt, gelangt man an einen Punkt, von dem an, etwa mit 30–50 Jahren, ein sehr interessantes Studium beginnt. Das ist nämlich der Moment, von dem ab der Weinfreund beginnt zu erkennen, daß es eine Seele im Wein gibt, was das Leben mit Wein bedeutet, daß diese Seele allen Weinen eigen ist, nicht nur jenen aus einem Bereich oder aus einem Keller, nicht nur von einer Sorte, oder aus einem bestimmten Klimaraum, sondern, daß der Wein als Ganzes in seiner qualitativen Beschaffenheit undurchsichtig und undurchschaubar geworden ist. Es ist völlig belanglos, ob diese Erfahrung mit dem Wein immer nur Wahrheit schlechthin war, wie es oberflächlich allzu leicht oft zitiert und formuliert wird. Die Spannen, in denen der Weinfreund seine Erfahrungen mit den Weinen macht, sind wechselvoll; einmal weil sein Leben selbst wechselvoll ist und weiterhin sein wird; zum anderen, weil der Wein von Jahr zu Jahr, von Land zu Land, von Sorte zu Sorte usw. usw., wechselte und wechseln wird. Die Lebenserfahrung mit dem Wein zeigt, daß auch in der Endphase des Weintrinkens diese ein Weingenießen sein wird, das den erfahrenen Weinfreund immer wieder von Neuem in Begeisterung und (oder) Bestürzung versetzt.

Der junge Weinfreund, der Azubi, sieht zunächst immer nur die Vorderseite der Medaille, das Etikett und die vielen Medaillen; der Erfahrene aber erkennt auch die Rückseite, das Innenleben seines Weines, seine Seele und seinen Charakter. Leider lassen die eine Weinprobe begleitenden Texte nichts von dem Innenleben eines Weines, geschweige denn von seiner Seele etwas erkennen; nur das nackte Gerippe einer chemischen Analyse wird bestenfalls besprochen oder die Weinansprache erschöpft sich in vagen Andeutungen, oftmals in Versen und unangebrachten Anekdoten eingewickelt.

Hermann Hesse nennt den Wein »den süßen Gott«, nicht weil er den süßen und gesüßten Wein besingen will, sondern weil der Wein ein Gott der süßen Liebe ist. So heißt es denn auch bei ihm:

»Er ist ein Held, ein Zauberer, er vermag Unmögliches; arme Menschenherzen erfüllt er mit schönen und wunderlichen Dichtungen... Leer gewordene Lebenskähne belastet er mit neuen Schicksalen und treibt Gestrandete in die eigene Strömung des Lebens zurück... Es ist mit ihm, wie mit allen köstlichen Gaben; er will geliebt, besucht, verstanden und mit viel Mühen gewonnen sein... Wenn er mit seinen Lieblingen redet, dann überrauscht sie schauernd und flutend die stürmische See der Geheimnisse, der Erinnerung, der Dichtung, der Ahnungen! Die bekannte Welt wird klein und geht verloren, und in banger Freude wirft sich die Seele in die straßenlose Weite des Unbekannten, wo alles fremd und alles vertraut ist und wo die Sprache der Musik, der Dichter und des Traumes gesprochen wird.«

Seien wir Menschen des Atomzeitalters ehrlich und bewundernd werden wir feststellen, daß es keine Kulturpflanze oder ein aus einer Kulturpflanze gewonnenes Produkt, noch Ionen, Anionen, noch Atome und Moleküle im Weltenraum gibt, das den Menschen und seine Gesellschaft so positiv beeinflußt hat und beeinflussen wird, wie der Wein, der ihn zu einem geistigen Höhenflug befähigt, höher in die Unendlichkeit, in das »Absolute«, wo Raum und Zeit nicht mehr getrennt existieren. Solche Zeilen lassen ahnen, daß wir die Seele des Weines nicht nur in der Kulturgeschichte suchen sollen. Sie ist immer vorhanden, sauber, edel und rein, bisweilen leider getrübt durch Schleier einer unheilvollen Behandlung während ihrer Jugend.

Es ist in diesem Zusammenhang nicht uninteressant darauf hinzuweisen, daß die katholische Kirche in ihrer heutigen Liturgie, die in der Messe die sakramentale Wiederholung des eucharistischen Abendmahlgeschehens sieht, eine kleine, aber wie mir scheint, eine bedeutsame Abänderung im Kanon vorgenommen hat – und zwar seit dem II. Vatikanischen Konzil. Es heißt seitdem, wenn der Priester die Wandlungsworte über dem Kelch spricht: »Frucht des Weinstocks und der menschlichen Arbeit«. Hier hat gewissermaßen ein Gesichtspunkt Eingang gefunden, den man früher nicht kannte, nämlich, daß der Wein »Vinum de Vite« in sich eine Seele trägt, die dank der Arbeit und Fürsorge des ehrbaren Winzers erst als würdig angesehen wird, in das Blut Christi verwandelt zu werden; denn ohne Zutun des Menschen würden die Trauben nicht gelesen, geschweige denn gekeltert werden und somit niemals Wein werden können.

Doch werden wir nicht allzu ernst beim Wein. Lassen wir Hans Jörg Koch, jenen weinfrohen Rechtskundigen und Weinkulturpreisträger aus dem Herzen Rheinhessens sprechen: »Liebe Leute, die ihr daher redet vom Wein wie von einem Kartoffelschnaps oder einem Limonadengebräu aus den Quanteljahren unseligen Angedenkens – wißet, daß nicht nur Kunstwerke und geliebte Wesen mehr als Bausteine und Organe haben, sondern auch eine Seele; so auch der Wein, der beides in einem sein kann: Begeisternde Schöpfung und Geliebte! Eben deshalb will er auch nicht im Vorübereilen brutal und jäh hinabgestürzt, sondern mit aller Zärtlichkeit und Hingabe des werbenden Liebhabers genossen werden. Dennoch unterscheidet sich ein großer Wein von allen Kunstwerken durch die Einmaligkeit eines Genusses, der unwiederbringlich ist und darin seine höchste Wertsteigerung findet.«

An einer anderen Stelle kann man bei Koch lesen: »Wer zur Audienz bei großen Weinen erscheint, den überkommt bald ein Gefühl menschlicher Unzulänglichkeit und Winzigkeit, das einen angesichts gewaltiger Naturereignisse und großer Kunstwerke beschleicht. Die Ehrfurcht, die uns entblößten Hauptes und auf Zehenspitzen in die Dome längst entschwundener Jahrhunderte eintreten läßt, versteht sich auch hier von selbst.

Es ist nicht allein das Wissen und das Können und Mühen des Winzers und der Kellermeister – es ist auch der schuldige Respekt vor der Vollkommenheit eines geistigen Wesens, das in seinem Kern jeder chemischen Analyse spottet.«

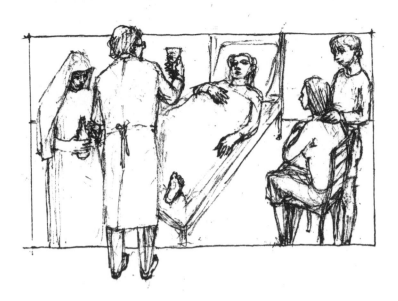

Wein
und
Gesundheit

»Wer ihn mäßig braucht durchaus,
Der hat den Doktor in dem Haus«

Cornelio Oenophilo,
nectar philosophicum 1680

Weinreben

Weinstock der geben thut den edlen Rebensafft
So man in mässig braucht / dann gibt er grosse Krafft.
Weinreben-Blätter kühl / auch was anziehent seyn
Man nimpt sie in der Ruhr / im Blutaussspehen ein.
Das Wasser / so da aus den Reben tröpffelnt rinnt
Ist gut den Augen / treibt den Stein / und heylt den Grind.
Wann auch die Trauben noch unzytig seynd / als dann
Darauß ein guter Safft / durch Kunst man pressen kan;
Ein solcher Safft der stillt die Hitz / wie auch den Sodt
Der Essig auß dem Wein der dient in mancher Noth
Kühlt / trocknet / machet dinn / zieht an / den Schweiß er treibt
Stärckts Hertz / steht wider Gifft / sechs Stuck man drauß verscheidt.
Weintrauben also roh / gar sehr auffblähent seyn
Man nimpt viel sicherer sie im Leib gedörret ein.
Roseinlein groß und klein laxiren / stehn auch bey
Der Lungen / Leber / Brust / sie nutzen vielerley.
Die harten Steinlein so man in den Trauben findt
Bauchfluß / Erbrechen sie curiren gar geschwindt.
Weintrester lobet man im Gliederreissen sehr
Dann sie bestehn darinn nicht mit geringer Ehr;
Diß edle Gewächs all diese Stücke gibt
Vor allen diesen doch / der Wein mehr ist beliebt.
Er stärckt das Hertz und Hirn / er machet einen Muth
Dem schwachen Magen ist er angenehm und gut.
Gleichwohl soviel er nutzt / so schädlich ist er auch
Wann man nicht mässig ist / und irrt in dem gebrauch;
Alsdann geht Haab und Gut / Gesundheit / Witz und Ehr
Verlohren / find sich auch schwerlich ein Gegenwehr.

*Aus dem »Kräuterbuch« des
Arztes Johann Joachim Becher. Ulm 1662.*

Über das Thema: »Wein und Gesundheit« ist schon viel von Berufenen und Unberufenen geschrieben und gesprochen worden, daß man Bücher darüber gerne zur Seite legen möchte. Aber die Behandlung dieser Fragen gehört auch zur Einführung in die Welt des Weines.

Die Traubenkur

Vom Traubensaft und seiner Wirkung auf den Menschen liest man relativ wenig. Weintraubenkuren waren einmal eine bemerkenswerte Therapie in der Behandlung von Magenbeschwerden, Darmträgheit, zur Hebung der Funktion von Niere, Leber und Galle (Dr. Wilhelm 1970). Bad Gleisweiler und Bad Bergzabern waren früher bekannt als Traubenkurorte. Meran spielt heute noch diese Rolle. Meraner Kurtrauben (Trollinger, bzw. identisch: Groß-Vernatsch) werden im Herbst auf vielen Märkten angeboten. 1853 schreibt der Pfälzer Arzt Dr. L. Schneider: »Die Traubenkur facht von Neuem die Naturheilkräfte an, teils durch die Abwechslung des Mittels, teils indem sie die Absonderungen, besonders die des Urins vermehrt, teils indem sie durch ihre erfrischende Eigenschaft den Tonus des Organs gelind belebt.«
Aber nicht allen Menschen bekommt eine Traubenkur, selbst dann nicht, wenn die Trauben von keinem Pflanzenschutzmittel benetzt wurden. Darüber berichten de Leobardy und E. Loubet vom französischen Staatsinstitut für Medizin in Limoges 1957. Bei Menschen mit einem bestimmten, die Leber betreffenden Allergie-Komplex, können hochfarbige Traubensäfte das Syndrom der Leberreizung auslösen. Weißweine werden ebenso wie weiße Traubensäfte besser vertragen. Bei diesen hochfarbigen Traubensäften, die de Leobardy und Loubet meinen, handelt es sich um solche von Hybridenreben, de-

ren Traubensäfte intensiv blau-violett sind. Breider, G. Reuther und E. Wolf konnten – allerdings nur im Tierversuch (Hühner) – nachweisen, daß qualitative Unterschiede zwischen Traubensäften von Edelreben und Hybridenreben bestehen und ferner, daß ihre Anthozyane und Anthozyadine Leberschäden hervorrufen. Jedoch konnte in keinem Falle (n = 83) eine Leberzirhose erkannt werden.

Die Zeit der Traubenkuren ist vorbei, selbst wenn die Säfte nur von Trauben der Edelreben stammen sollten. Die Ursache dafür liegt wohl in der chemischen Schädlingsbekämpfung unserer Zeit, die den unmittelbaren Genuß der Trauben vom Stock nicht mehr erlauben. Noch zu Beginn der 50er Jahre konnte man ohne Furcht im Weinberg die Beeren vom Stock in den Mund schieben. Heute ist das gefährlich; selbst der Traubendiebstahl hat aufgehört. Man liest zwar von anerkannten Fachleuten, daß früher die Trauben mit »Dreck und Speck« geherbstet und gekeltert wurden, während die modernen Keltermethoden weder den Dreck noch den Speck mit verarbeiten. Dem ist leider entgegen zu halten, daß früher die Trauben ohne Schaden an Leib und Seele direkt vom Stock im Weinberg genossen werden konnten; heute nicht mehr. Früher mußten die Leserinnen bei der Lese singen, um zu verhindern, daß sie Beeren essen; heute fürchten sie sich, die Trauben und Beeren mit bloßen Händen anzufassen. Sie haben Handschuhe angezogen, um ihre Haut zu schützen.

Die Federweißenkur

Der Federweißer ist gärender Most von milchig-gelber Farbe, mit einer Temperatur zwischen 20–30° C. Die Hefen befinden sich in voller Enzymtätigkeit. Sie verleihen auch dem Federweißen seine Farbe. Wenn die Gär vorbei ist, sterben die Hefen ab. Der Most wird zum Bremser, seine Farbe ist jetzt grau. In diesem Stadium wird er meist in den Gaststätten ausgeschenkt. In Franken ißt man frische Schälnüsse zum Federweißen, in der Pfalz »Keschte«, das sind gebratene Eßkastanien (Maronen).

»Wer Nüsse schält und sie nicht ißt,
Bei Jungfrau'n sitzt und sie nicht küßt,
Beim Weine weilt und nicht schenkt ein,
Der muß ein großer Trottel sein!«

Volksspruch

Der Federweiße fördert die Magen- und Darmtätigkeit, reinigt das Blut und entschlackt den Körper. Eine Kur besteht aus 76 Schoppen, von denen man täglich nur zwei Schoppen ($2 \times 1/4$) trinken sollte. Mit dem Federweißen nimmt man relativ viel Kohlensäure und bekannte und noch unbekannte Gärungszwischenprodukte auf, deren Wirkung nach übermäßigem Genuß nicht im voraus zu ahnen ist. Die verdauungsfördernde Wirkung erzeugen vorwiegend die aktiven Hefen. Daher ist es ratsam, den echten Federweißen dem Bremser vorzuziehen, ganz abgesehen davon, daß er auch besser schmeckt.

Weinkuren — Wein ein Arzt?

Hippokrates: »Der Wein ist ein Ding in wunderbarer Weise für den Menschen geeignet, vorausgesetzt, daß er bei guter und bei schlechter Gesundheit, sinnvoll und im rechten Maße verwandt wird, übereinstimmend mit der Verfassung der einzelnen Person.«

Justus v. Liebig (1803 – 1873) fügt hinzu: »Als ein Mittel der Erquickung, wenn die Kräfte des Lebens erschöpft sind, der Befeuerung und Steigerung, wo traurige Tage zu bezwingen sind, der Korrektion und Ausgleichung, wo Mißverhältnisse der Ernährung und Störung im Organismus eingetreten sind, und als Schutz vor vorübergehenden Störungen durch die unorganische Natur wird der Wein durch kein Erzeugnis der Natur oder Kunst übertroffen.«

Ein Kurgetränk

Auf diese jahrtausendealten Erkenntnisse und Erfahrungen aufbauend haben Ärzte, die dem Naturheilverfahren anhängen, den Wein als Kurgetränk in ihre Therapie gezielt eingebaut. In Deutschland wurde der Wein als Kurgetränk hauptsächlich von *Dr. Hermann Brosig* und *Dr. E. Hesseln* (Schrothkur Oberstaufen/Allgäu), in der Schweiz von *Dr. Emmerich A. Maury*, in den USA von *Lolli* berücksichtigt. Es handelt sich um stoffwechselwirksame Kuren, bei denen der Wein in mäßigen Mengen von $1/10$ bis zu 1 Liter auf den Tag verteilt und dann meistens zu den Mahlzeiten oder in zeitlich geringen Abständen zwischen den Mahlzeiten getrunken wird. (Als Appetitanreger 30 Minuten vor dem Essen, bewirkt er keine zusätzliche Gewichtsabnahme (Lolli).

Ein Therapeutikum

Die Heilige *Hildegard von Bingen* († 1179), die als Kind, als Nonne und Äbtissin mit dem Wein gelebt hat, hebt in ihrer »physico medica« die heilsamen Wirkungen des Weines hervor.

138

Hervorragende Kliniker des 19. und 20. Jahrhunderts, wie *Virchow, von Bergmann, Leube* deutscherseits, Guido *Bercelle* und Spano *Milazzo* italienischerseits, *Portmann* und *Arnozon* u. a. französischerseits und schließlich *Whaite,* der berühmte amerikanische Herzspezialist, der Leibarzt Eisenhowers, sie alle, um nur einige bei Namen zu nennen; sie alle schreiben dem Wein eine therapeutische Wirkung zu.

Der Wein als Arzt will den Patienten raten, so schreibt *Wilh. Steigelmann* 1974, »was in verschiedenen Lebenssituationen zu tun ist. Dionysisches Denken: Gesundheit ist Wohlbefinden, vielfach zurückzuführen auf den Weingenuß. Der Geist des Weines regt den menschlichen Geist an. Wir brauchen den Wein zum Stabilisieren des Gesamtmenschen. Der Auftrag für den Wein lautet, daß er den ganzen Menschen erfaßt, seine Aufgabe ist es nicht, ein bestimmtes Organ zu heilen. Der Wein ist das tragende Element. Der Wein regt an, regt auf! Erst Wein trinken, dann beugt man vor und wird nicht krank.« So ähnlich lautet auch das Fazit, das nach einem weinwissenschaftlichen Kolloqium mit dem Thema »Wein und Gesundheit« auf Einladung des Stabilisierungsfonds für den Wein in Würzburg 1982 gezogen wurde.

»Wein in Maßen getrunken, ist bei Erwachsenen nicht nur unbedenklich, sondern für die Gesundheit sogar günstiger als vollkommene Abstinenz.« Alte Weisheiten, die neu diskutiert und formuliert werden, so auch beim Weinforum 2000 in Bad Kreuznach. Da es in der Humanmedizin nicht möglich ist, einzelne Bestandteile des Weines auf ihre Wirkung hin zu eliminieren, und Ergebnisse im Tierexperiment als nicht anwendbar auf den Menschen wissentlich dann nicht diskutiert werden, wenn es um den guten Ruf des Weines generell geht, bleibt die jahrtausendalte Erfahrung ein maßgeblicher Faktor bei der Gesamtbeurteilung der therapeutischen

Verwertbarkeit des Weines. Fassen wir daher all das in einer Wiedergabe *Kliewes* zusammen, der in seinem Buch »Wein und Gesundheit« folgendermaßen schreibt: »Die vielen wertvollen Stoffe im Wein zusammengefaßt sind dazu geeignet, die Stoffwechselfunktionen im Körper zu fördern, allgemeine Schwäche- und Erschöpfungszustände zu bessern, die Atmung zu beleben, den Appetit und die Verdauung anzuregen, die Durchblutung des Gehirns und anderer Organe zu steigern, die Herz- und Kreislauffunktionen zu regulieren, die Schilddrüsen und Nebennierenrinden zu stimulieren und über die Nieren die Abbauprodukte des Eiweißstoffwechsels, Harnstoff, Ammoniak, Säuren, Salze, Mineralstoffe und alles, was dem Körper in höherer Konzentration schädlich ist, herauszufiltern, d. h. den Körper zu entschlacken. Daß bei krankhaften Störungen der inneren Organe, wie z. B. Entzündung der Leber (Hepatosen, Hepatitis, Zirrhose), des Nierengewebes (Nephritis), bei Verhärtung der Nierengefäße (Nephrosclerose), bei Funktionsstörungen der feinen Nierenkanälchen (Nephrosen), bei Blasenkatarrh (Cystitis) und bakteriellen Erkrankungen der Harnwege der Weingenuß zu verbieten ist, muß als Selbstverständlichkeit angesehen werden, ohne, daß dies im folgenden noch eigens betont wird.«

»Sobald der Wein in unseren Organismus
eintritt, nimmt er zunächst Einfluß auf
unsere Verdauungsorgane, sodann auf das Nervensystem
und auf den Stoffwechsel und endlich auf
die Ernährung. Nach dem Genuß von Wein
bildet sich im Magen eine angenehme Wärme
und erzeugt beim Weintrinken das Gefühl
der Krafterneuerung.«

Professor Dr. Arnozon,
Fakultät Bordeaux

Für das ganze Stoffwechselgeschehen im Organismus, für die Regulation des Blutdrucks und des Kreislaufs spielen die Drüsen mit innerer Sekretion eine große Rolle. Ferner haben sie für die Beeinflussung von Infekten, für die Entgiftung von im Körper entstehenden oder von außen zugeführten Giften eine erhebliche Bedeutung. Außerdem beeinflussen sie in beträchtlichem Maße das geistig-seelische Leben des Menschen. In kleineren Mengen hat der Wein auf alle innersekretorischen Drüsen einen positiven Einfluß, wodurch, um nur einige Beispiele zu nennen, die Widerstandskraft und Widerstandsfähigkeit gegenüber Infekten, wie Schnupfen, Lungenentzündung, Grippe u. a. m. verstärkt wird. Bei gestörten Drüsenfunktionen sollte allerdings für Diabetiker auch Wein möglichst vermieden werden. Bei Diabetes machen die beiden medizinischen Experten Reich und Kliewe, die sich mit den Einwirkungen des Weines auf den menschlichen Organismus eingehender beschäftigt haben, eine Ausnahme, indem sie unter gewissen Bedingungen Weingenuß gestatten. Dabei kann es sich nur um kalorienarme, leichte, durchgegorene Weine handeln, die dem Diabetiker verordnet werden können, wenn im Verlaufe der Krankheit öfter Magen-Darmstörungen oder Herzschwächezustände auftreten. Für Diabetiker ist der Wein, der gute Wein mit entsprechender Reife ein Stärkungsmittel, das kein anderes Getränk vorteilhafter ersetzen kann *(Peton,* Bordeaux).

Allein schon aus psychologischen Gründen empfiehlt sich eine Verabreichung von Wein, vorausgesetzt, daß der Diabetiker nicht mit Präparaten aus der Stoffklasse der Sulfonylharnstoffe behandelt wurde. Manipulierte Weine, die erst nach der Gärung mit entkeimtem Most oder Mostkonzentrat, oder einem Auszug aus getrockneten, überreifen Beeren (Rosinen) nachgesüßt wurden, werden von den genannten Medizinern ebenso abgelehnt wie Tank- und »edelsüße« Weine, die noch unvergorenen Zucker enthalten. Vorsicht ist also angebracht bei Weinen, die als lieblich, edelsüß, süffig angepriesen werden. Auch für den Diabetiker kommen wie für den Übergewichtigen nur leichte, durchgegorene Weine in Frage. Für Weintrinker mit zu viel oder zu wenig Magensäure sei bemerkt, daß trockene, durchgegorene Weine natursäuerlich wie auch mild schmecken können, je nachdem von welcher Rebsorte sie stammen.

In diesem Zusammenhang sei ein offenes Wort über die Verwendbarkeit von Glukoseteststreifen, Klinstixstäbchen und ähnlichen Testverfahren zur Feststellung von unvergorenem Zucker im Wein gestattet. Diese für die Prüfung des Harns auf Zucker gedachte Verfahren sind für den Zuckernachweis im Wein vollkommen ungeeignet (Lindner). So wird z. B. Rohrzucker (Saccharose) im Wein nicht angezeigt. Bei überschwefelten Weinen ist die Reaktion ebenfalls ungenau oder sogar negativ. Andererseits ist die Empfindlichkeit der Prüfmethoden auf Glukose so groß, daß schon geringe für den Diabetiker belanglose Glukosemengen (Traubenzucker) Farbreaktionen zeigen.

Bei Normalverbrauchern ($3/4 - 1$ Liter/Tag) erzeugt der Wein meist nicht nur ein Gefühl körperlichen und geistigen Wohlbefindens, sondern ist auch ein Vermittler wichtiger Wirkstoffe, die in Verbindung mit Aethylalkohol den geistig schöpferischen Menschen über eine gewisse Antriebsenthemmung zur Leistungssteigerung anregen, welche die kulturgeschichtliche Entwicklung der abendländischen Menschheit kennzeichnen. Die großen Künstler, Maler, Dichterfürsten und Denker vom Altertum bis zur neuesten Zeit waren Freunde des guten Weines, dem sie zum Teil den Erfolg ihres Schaffens verdanken.

142

Eine besondere Bedeutung hat der Wein für das Alter. Ein Nachlassen der physiologischen Funktionen des Körpers und außerordentliche Situationen der Psyche können teilweise durch Wein gesteuert werden. Ist im Alter die Aufnahme für neue Nähr- und Wirkstoffe verzögert und die Abgabe der Stoffwechselschlacken verlangsamt oder unvollständig, kann ohne Zweifel der Wein, der mehrere hundert Wirkstoffe enthält, die fehlenden oder in der täglichen Nahrung ungenügend vorhandenen Stoffe ergänzen. Dazu regen Weine den Stoffwechsel an und regulieren ihn.

Ein kreislaufmäßig entscheidender Faktor ist die mehrfach festgestellte Tatsache, daß Wein, in bescheidenen Mengen (1/2–1 Liter/Tag) getrunken, einen ausgesprochenen einnivellierenden Effekt auf den Blutdruck ausübt, wobei leichten, durchgegorenen Weinen der Vorzug zu geben ist. Diese Weine sind es auch, die sogar die Arterienverkalkung idiotypisch zu verhindern vermögen. Aus dem hoch interessanten Buch »Die Hundertjährigen« von *Professor Dr. Franke* und dem Porträtisten *Ignaz Schmitt,* beide Würzburg, erschienen im Jahre 1971, kann man entnehmen, daß die meisten Hundertjährigen täglich ihren Wein getrunken haben, von dem sie meinen, daß er es war, der ihnen ihre Lebenskraft und Lebensfreude erhalten hat. »Wein ist für alte Knaben eine von den besten Gaben«. Damen sind in diesen Satz von *Wilhelm Busch* natürlich mit eingeschlossen.

Für ältere Menschen und solche, die es werden wollen, werden seitens der Mediziner im allgemeinen leichte – säuerliche Weine empfohlen. Zum Frühstück im Alter sind 10- bis 20jährige Weine eine lustvolle Gaumenfreude, der vor allem eine ausgezeichnete Verträglichkeit folgt. Weintrinker mit zuviel Magensäure sollen sich an alte Weine halten, die durchgegoren sind. Überschwefelte Weine sind dem Alter nicht zuträglich. Rotweine, die bekanntlich Gerbsäure enthalten, sind gerade deswegen für ältere Menschen besonders zu den Mahlzeiten zu empfehlen, weil die »Gerbsäure«, die sich im Verkosten oberhalb der Backenzähne im Zahnfleisch bemerkbar macht und sich zu den Speicheldrüsen zieht, diese zum verstärkten Speichelfluß anregt und damit Verdauungsfermente freisetzt, die im Alter bei verminderter Kautätigkeit nur zögernd gebildet werden. Darin liegt überhaupt die Bedeutung des Rotweins, auch für jüngere Weintrinker, daß er die Tätigkeit der Speicheldrüsen anregt, was der gerbstoffreie Wein nicht tut.

Wetterfühligkeit

Vor allem empfehlen prominente Ärzte bei kreislauflabilen und vegetativ empfindlichen Patienten, auch jüngeren Lebensalters, bei Wetterfühligkeit ein Glas Wein, der nach *Prokop* (1974) eine bessere Wirkung haben soll, als manche eigens dafür hergestellten Medikamente.

Schlafstörungen

Auch bei »gewissen Schlafstörungen« und »affektivem Verhalten« und »emotionellen Reaktionen« bietet sich der Wein durch seine einnivellierende Wirkung als wertvolle Hilfe in vom Arzt zu entscheidenden Fällen an. Menge, Alter und Qualität des Weines spielen dabei eine nicht zu unterschätzende Rolle, wobei unter Qualität nicht die Marktqualität zu verstehen ist, sondern die Genußqualität. Dieser Hinweis ist um so wichtiger, je mehr chemische Behandlungsmethoden im Weinberg wie im Keller die naturgegebenen Qualitäten des Traubenmostes schon frühzeitig zerstören und im Rahmen der EG-

Verordnungen Tafel- und Landweine, vor allem aus Frankreich und in Zukunft auch aus Portugal wesentliche Anteile von gesundheitsstörenden Hybridenweinen enthalten dürfen. Die qualitativen Unterschiede in der Bekömmlichkeit der Hybridenweine stehen außer Zweifel. Der rapide Rückgang im Anbau solcher Artbastardreben ist der Beweis dafür, daß Hybridenweine auch dem Menschen nicht zuträglich sind, worauf seit mehreren Jahrzehnten französische Mediziner (de Leobardy und Pages) wie Weinwissenschaftler *(Flancy,* Narbonne) hingewiesen haben, die jedoch in ihrem Bemühen gegen die geldhungrige Weinwirtschaft nicht beachtet wurden.

Wein in der Rekonvaleszenz

In der »*Rekonvaleszenz*« und für den Erholungssuchenden wird gerne trockener Sekt empfohlen. Die medizinische Fakultät in Bordeaux stellt durch Professor *Arnozon* und Professor *Portmann* dafür auch gute alte Weine heraus.

»Weder Eisen noch Chinarinde, noch Arsen, noch Phosphat vermögen einen zerrütteten Ernährungszustand wieder in Ordnung zu bringen und den Kräfteverfall abzustoppen. Der an Typhus Erkrankte, der sich allmählich erholt, der aus den Sümpfen kommende Malaria-Erkrankte, der Diphteriekranke, frisch gerettet, der Scharlachkranke und der an Blattern Erkrankte, die durch heftige Fieberausbrüche geschwächt sind, glauben zu fühlen und sie haben Recht, daß ihnen die Kraft wieder zufließt nach Maßgabe des ihnen zugeflossenen Nektars.«

Und *Professor Portmann:* »daß viele Kranke, Genesende, Erschlaffte die Pillen, Pulver und Cachets schlucken, viel schneller durch den Genuß des alten Bordeaux in den Wiederbesitz ihrer Kräfte kommen.«

Fragt ein Besucher eine Krankenschwester: »Was gibt man den Schwerkranken, den Operierten in den Krankenhäusern?« sagt die Schwester kurz und bündig: »Wein aus der Champagne, der Wein, der in den Augen Voltaires glänzt, wie das Lächeln unseres Landes. Von diesem frischen Wein, sprühend von Schaum.«

Es ist bekannt, daß *Professor Sauerbruch* seine Patienten nach der Operation Sekt trinken ließ. Er schreibt in seinen Memoiren: »Alle meine Patienten – auch die in der dritten Klasse und in den Freibetten – bekamen täglich, nachdem sie operiert waren, Sekt in Piccoloflaschen, nicht etwa um die Klinik in eine angeregte, optimistische Stimmung zu versetzen, sondern, weil der Sekt ein hervorragendes Anregungsmittel des Kreislaufes ist.«

Dr. Reich empfiehlt für die Genesung einen älteren Rotwein, weil dieser durch sein Alter gut ausgebaut ist. Alte, trockene Weißweine, haben den gleichen Effekt.

Gaston Derys 1936: »Der Wein – mein Arzt? Jawohl der Wein verdient diese Anerkennung; denn seine Empfehlungen, die so alt sind, wie die Welt besteht, werden von Tag zu Tag mehr von der Wissenschaft bestätigt.«

Vom Weinstock

»O göttlicher Dionysos,
Lasse wachsen diese heilige Pflanze
Die Rebe für Dein Volk!
Denn aus dem Volke erwachsen Dichter
Und Musiker und Forscher!«

Pinzini

Da sprach die Rebe:

»Da freute sich mein Herz, daß er mein Reich ausbreite-
te im deutschen Lande, und als dort die ersten Reben
blühten, zog ich ein im Rheingau mit glänzendem Gefol-
ge; wir lagerten auf den Hügeln und schafften in der
Erde und schafften in den Lüften, und meine Diener
breiteten die zarten Netze aus und fingen den Frühlings-
tau auf, daß der den Reben nicht schade; sie stiegen hinauf und brachten warme Sonnenstrahlen nieder, die sie
sorgsam um die kleinen Beerlein gossen, schöpften Wasser im grünen Rhein, und tränkten die zarten Würzlein
und Blätter. Und als im Herbst das erste zarte Kind des
Rheingaues in der Wiege lag, da hielten wir ein großes
Fest und luden alle Elemente zur Feier ein. Das Feuer
legte seine Hand auf des Kindes Augen und sprach: › Du
sollst mein Zeichen an dir tragen ewiglich; ein reines mil-
des Feuer soll in dir wohnen, und dich wert machen vor
allen anderen ‹. Und die Luft im zarten goldenen Gewan-
de kam heran, legte ihre Hand auf des Kindes Haupt und
sprach: › Zart und licht sei deine Farbe wie der goldene
Saum des Morgens auf den Hügeln, wie das goldene
Haar der schönen Frauen im Rheingau. ‹ Und das Wasser rauschte heran in silbernen Kleidern, bückte sich auf
das Kind und sprach:

› Ich will deinen Wurzeln immer nahe sein,
daß dein Geschlecht ewig grüne und blühe
und sich ausbreite, soweit mein Rheinstrom
reicht. ‹ Aber die Erde kam und küßte das
Kindlein auf den Mund und wehte es
an mit süßem Atem: › Die Wohlgerüche
meiner Kräfte ‹ sprach sie, › die herrlichsten Düfte
meiner Blumen habe ich für
dich gesammelt zum Angebinde. ‹

› Die köstlichsten Salben aus Ambra und
Myrrhen werden gering sein gegen
deine Düfte. ‹«

*Aus Phantasie im Ratskeller
zu Bremsen, Hauff*

»In diesem Becher hier, hier ist sein
Anspruch auf Unvergänglichkeit —
die ew'ge Rebe, der er zuerst die Seel'
entpreßt, um die des Menschen zu erfreuen.«

Byron

Der Weinstock

Die Rebe ist eine poetische Pflanze. Alles an ihr ist an-
mutig, schön, nervig: Ihre tänzerischen Bewegungen
beim Ranken und Klimmen an Stöcken, Spalieren,
Mauern, Veranden, Balkonen, Weinlauben, an Maulbe-
erbäumen und Ulmen — wie im Süden üblich — ihre
schlafenden Augen im Frühling, wenn längst im Wald
und Feld der Flor und Wuchs sich entfacht haben, die
Tränen, die sie nach dem Beschneiden ihrer Zweige ver-
gießt; gefällig von Ansehen sind ihre biegsamen Schöß-
linge und Geizen; sie wenden und winden sich und scheinen mit Tastsinn begabt; festlich mutet das Laub an, sei
es im lichten Grün, im dunkleren des Sommers oder im
Gold- oder Pupurbrand des Herbstes. Wohlriechend
und mithin duftend und süß schmeichelnd ist der Wohlgeruch ihrer Blüte. Und köstlich ist die reife Traube zur
Weinlese. Eigentümlich ist das Rebholz; die weiße Asche
ist von besonderer Art. Sie enthält ein mineralisches
Salz, den Tartarus, dem Paracelsus große Heilkraft zu-
schrieb.

Die Poesie der Rebe ist vertieft und symbolhaft. Die Pflanze ist geweiht durch ein hohes Alter: Man weiß nicht, wann sie zum ersten Male ihre Ranken um Bäume und Felsen geschlungen hat. Wo sie wächst, weiht sie selber den Grund und Boden. Die Rebe ist geistdurchdrungen; Irdisches und Himmlisches sind in ihr vermählt, die Kraft der heißen Erde und der heißen Sonne. Die Astralmythe leiht dem Weingott Dionysos zwei Eigenschaften: die des Stieres, das Erdzeichen, und die des Löwen, des Sonnensymbols. Diese Paarung und Eignung wirkt auch im Wein. Sie zeitigt eine Köstlichkeit, die Harmonie von Süße und Säure — Säure der Erde, Süße des Himmels — gibt ihm die erheiternde, beflügelte und emportragende Schwinge.

»Die Rebe hat Feuer und Geist,
Poesie und Musik.«

Friedrich Schnack 1957

So sagt's die Wissenschaft

Der Weinstock nimmt durch seine feinen Wurzelhaare das nährsalzhaltige Wasser des Bodens auf. In den Wurzeln wird es in lange Zellen, die um das Zentrum der Wurzel liegen, geleitet. Von dort aus steigt es in langen röhrenförmigen verholzten Zellen, den Tracheen, aufwärts bis in die Blätter. Dort verdunstet es, so daß ständig Wasser nachgeführt werden muß. Die Tracheen bilden das Xylem, den Holzteil der Rebe. Es sind Zellen, die das Protoplasma verloren haben, also eigentlich tote Zellen, die aber wasserdurchlässige Wände haben und als feine Kapillaren das Wasser nach oben steigen lassen.

Außen wird das Xylem in Wurzeln, Stengel und Blättern von einem Bündel langer Zellen, dem Phloem, begleitet. Durch dieses strömt die in den Blättern bereitete Nahrung, der zuckerhaltige Saft mit allen lebensnotwendigen Inhaltsstoffen aus den Blättern abwärts zu allen Pflanzenteilen bis in die Wurzelspitzen. Die Phloemzellen besitzen zwar ihr Protoplasma noch, aber keine Kerne. Da, wo sie aneinander stoßen, haben sie feine Poren, die ihnen den Namen »Siebröhren« eingebracht haben. Der Weinstock hat also zwei Leitungssysteme, das eine führt von unten nach oben, das andere von oben nach unten. Zwischen beiden liegt eine feine Schicht undifferenzierten Gewebes, das in ständiger Teilung und Differenzierung sich befindet; das sogenannte Kambium, das nach innen neue Xylemzellen, nach außen neue Siebröhrenzellen bildet. Hierdurch erfolgt das Dickenwachstum, bei dem durch die neugebildeten Xylemzellen das Kambium und Phloem nach außen gedrückt werden. Die außerhalb des Siebröhrensystems liegenden Zellschichten nennt man Rinde, über der ganz außen die schützende Borke liegt.

Damit hätten wir einen groben Überblick darüber bekommen, wie es rein strukturell in einem Weinstockstamm aussieht. Wenden wir uns nunmehr seinen Lebensabläufen, der Bereitung seiner Aufbaustoffe und seinen Lebensäußerungen zu.

Ein Weinstock wird erst satt, wenn ihm die Sonne auf die grüne Haut scheint. So banal dieser Vergleich ist, so deutlich veranschaulicht er, welche Rolle das Blattgrün bzw. das Chlorophyll für die Rebe spielt und wie wichtig es ist, dieses Blattgrün gesund und funktionsfähig zu halten.

In den Zellbausteinen der Blätter ist das Chlorophyll in die Blattgrünkörner eingebettet. Es sind rundliche Körnchen, die dicht gepackt die Zellen ausfüllen. Sie liegen im

Protoplasma, der lebenden Masse der Zellen, mit dem sie sich passiv um den Zellkern bewegen wie Planeten um die Sonne. Das Blattgrün bildet im Innern dieser Körnchen Lamellen, ähnlich manchen Trockengleichrichtern in der Elektrotechnik. Hier wie dort geht es darum, möglichst viel Oberfläche zu entwickeln. Je größer die Oberfläche, desto intensiver ist die Ausnutzung des Sonnenlichts. In diesen Lamellen spielt sich der Urprozeß des Lebens ab, der einzige aufbauende Produktionsvorgang, nämlich die Umwandlung der Sonnenenergie in chemische Kraftträger, in die Leibessubstanz der wachsenden, sich vermehrenden und traubentragenden Rebe.

Drei Voraussetzungen müssen erfüllt sein, damit die Sonnenkraftwerke der Rebe arbeiten können: Als erstes benötigen sie Wasser, das die ganze Zelle prall füllen muß. Als zweites Kohlendioxyd, ein farb- und geruchloses Gas, das in der uns umgebenden Luft mit nur 0,03 %, also in Spuren vorhanden ist. Es tritt durch die Spaltöffnungen wie das Wasser in das Blatt. Im Wasser löst es sich leicht und wird dabei zu Kohlensäure, deren feinsäuerlicher Geschmack vom Sprudelwasser, Bier und Sekt bekannt sind. Außer Wasser und Kohlendioxyd benötigt das Blattgrün hauptsächlich Lichtenergie und eine gewisse Wärme, um Zucker und daraus Stärke herzustellen. Aus dem Zucker baut die Rebe, wie jede andere Pflanze übrigens auch, alle anderen von ihr benötigten Verbindungen und Substanzen auf. Weil das Licht die Energiequelle für die in der grünen Pflanze ablaufenden Prozesse ist, nennt man diesen Vorgang »Fotosynthese«. Vielfach ist der Ausdruck »Assimilation oder Assimilation des Kohlenstoffes« gebräuchlich, weil der Kohlenstoff des Kohlendioxyds CO_2 das Molekülskelett all der vielfältig daraus aufgebauten Verbindungen und Substanzen bildet.

Sie werden durch die Siebröhren nach unten in den Wurzelstamm geleitet und als Reserve dort abgelagert und nach oben hin aufgebaut, bis mit der Ausreifung der Beeren der Zucker direkt in das Beerenfleisch – das innere Gewebe des Fruchtknotens – und als Stärke in den Markstrahlen des Triebes liegen bleibt. An der Intensität der Stärkeablagerung im letztjährigen Trieb kann man den Grad der Holzausreife ermessen, der für die Vermehrung durch Stecklinge, insbesondere aber für die Vermehrung durch Veredlung als Energiespender wichtig ist. In südlichen Ländern, wo das Sonnenlicht zwar intensiver und bei einer bestimmten Erziehungsart der Reben (Parallerziehung) der Blattreichtum einer Rebe stärker und der Sonne breitflächig ausgesetzt sind, aber das Wasser fehlt, – das während der Vegetationszeit der Reben nur drei- bis fünfmal staatlicherseits den Weinbauern zugeleitet wird, – kommt es zu einer Überproduktion an Stärke, während die Trauben nicht die Zuckermenge erhalten, die man südlich gewachsenen Trauben normalerweise zuschreibt. Die Trauben sind also nicht so süß. Sie zeigen ein Durchschnittsmostgewicht von 70–80°. Da bei einer Stärkeüberproduktion das Stammlager nicht ausreicht, »platzt der Rebenstamm aus allen Nähten.« Doppelfaustdicke Geschwulste drücken durch Rinde und Borke. Beim Anschnitt fällt die weiße Stärke frei heraus.

Fotosynthese

Die Fotosynthese erfolgt nach der Gleichung: Kohlendioxyd CO_2 + Wasser H_2O + Licht = Energiereicher Zucker $C_6H_{12}O_6$ + Sauerstoff. Bei der Fotosynthese wird also der energiereiche Urkraftstoff Zucker gewonnen und Sauerstoff an die Luft abgegeben. Aus dem Zucker entstehen alle energiereichen Verbindungen, die sogenannten Kohlehydrate. Das geht außerordentlich schnell vor sich. Um herauszubekommen, welche Stoffe im Blattgrünkorn zuerst entstehen, wurde Kohlenstoff im Kohlendioxyd radioaktiv markiert. Dann setzte man das Blattgrünkorn einem Lichtblitz aus, nicht Wärme und schon nach 0,5 Sek. nach dem Lichtblitz konnten derartig viele Verbindungen nachgewiesen werden, daß es lange und vielerlei Untersuchungen erforderte, um einen genauen Einblick in den Ablauf des Geschehens zu bekommen. Und dennoch sind die letzten Einzelheiten noch nicht geklärt.

Die durch die Fotosynthese gewonnenen energiereichen Kohlehydrate und die daraus hergestellten Moleküle dienen der Rebe als jederzeit einsatzfähiges Kleingeld. Sie verbraucht es für ihre Lebensvorgänge und Lebensführung, für ihr Wachstum, Blühen und Fruchten, für ihre Gesunderhaltung und Überwinterung. Alle diese Vorgänge erfordern Energie, teils unmittelbar aktiv, oder teils als Reservestoffe gelagert (Stärke).

$$C_6H_{10}O_5 + H_2O = C_6H_{12}O_6 = \text{Zucker} - H_2O = C_6H_{10}O_5 = \text{Stärke}$$

Atmung

In jeder lebenden Zelle, also auch in den nicht grünen Zellen der Wurzeln werden durch Sauerstoffaufnahme kohlenstoffhaltige Verbindungen zu Kohlendioxyd und Wasserdampf verbrannt. Wir sagen die Zelle atmet. Diese Verbrennung läuft in der Rebe wie in allen anderen Pflanzen ohne Flamme und ohne Wärmeentwicklung ab.

Man kann diese biologische Oxydation oder Atmung folgendermaßen schreiben: Energiereiche Verbindungen + Sauerstoff = Energie + Wasser + Kohlendioxyd. Jede lebende Rebenzelle atmet also genau so wie tierische und

154

menschliche Zellen. Würde ihr der Sauerstoff entzogen würde sie ersticken. Deshalb muß ein Weinberg nicht nur so angelegt werden, daß alle Blätter des Weinstocks möglichst der Sonne ausgesetzt sind, sondern der Weinberg muß gut durchlüftet und der Boden in seiner Feinstruktur offen gehalten werden. Dann wird wahr, was der Winzer sagt: »Stelle mich frei, dann trag ich für drei!« Wird es der Rebe zu heiß, dann beginnt sie zu transpirieren. Wasser entweicht durch die Spaltöffnungen. Bei zu heißer Mittagssonne legt die Rebe ein Ruhestadium ein. Die Spaltöffnungen schließen sich. Dann hört auch die Zuckerproduktion auf. Man kann durch mittägliche Beregnung das Schließen der Spaltöffnungen verhindern. Die Produktion von Zucker und aller daraus folgender Kohlenstoffverbindungen würden fortgesetzt. Dadurch könnte sowohl die Menge wie die Qualität der Trauben gesteigert werden. Diesem Umstande ist es wohl auch zuzuschreiben, das laut EWG-Verordnung Weinberge nicht mehr generell beregnet werden dürfen, um eine Überproduktion an Wein wenigstens auf diesem Wege zu unterbinden.

Der Weinberg

»Andere Weite dem Aug' leih besser das Rebengepränge,
Jetzt mag Bacchus' Geschenk uns bieten ein schöneres
    Schauspiel
Berge mit Wein im prächtigen Zug – welch reizender
    Anblick
Hier, wo der Kamm des Gebirges mit steilabfallenden
    Hängen
Aufsteigt, Felsen und sonnigen Höhen und Buchten und
    Schluchten
Rebenbekränzt aufziehn im natürlichen Amphitheater.«

Ausonius

Eine Weinbergsgröße wird in Ar und ha angegeben; 1 Ar = 100 m², 1 ha = 100 Ar = 10 000 m². In alten und sehr steilen Lagen, in denen der Boden noch mit der Hand bearbeitet werden muß (z. B. an der Mosel), rechnet man pro m² einen Rebstock. In solchen Anlagen muß der Winzer auch heute noch 17 mal um den Weinstock gehen, um den Boden und den Rebstock fachgerecht zu bearbeiten. Seitdem die Technik mit leichten und schweren Maschinen und Großraumgeräten Einzug im Weinbau gehalten hat, veränderte sich die traditionsbewußte Weinbaukultur. Ein Weinberg wird nach einem genau vorher bestimmten Plan in Zeilenabständen von 1,50 m bis 2,40 m und einem Stockabstand von 1 m bis 1,50 m angelegt; wobei sich der Zeilenabstand nach der Art und Größe der Maschine richtet, die man einzusetzen gedenkt, während der Stockabstand nach der qualitativen und quantitativen Leistung einer Sorte gewählt wird, die man zu pflanzen vorhat.

Dementsprechend beträgt heute der Rebstockbestand pro ha zwischen 2 800 und 6 600 Stock, ohne daß Menge und Qualität des Ertrages sich unterscheiden, vorausgesetzt, daß die Eigenart der Rebsorte und ihre Ansprüche an Boden, Klima und Ernährung berücksichtigt wurden und die Arbeit des Winzers sich im Jahresablauf zeit-und fachgerecht abwickeln läßt.

Des Winzers Handarbeit ist zwar weniger, seine geistige Tätigkeit anspruchsvoller, der Weinbau aber nicht billiger geworden. Was früher für Handarbeit ausgegeben wurde, braucht man heute für Maschinen und andere technische Neuerungen.

Die Rebsorten

Des Winzers Aufmerksamkeit beginnt bereits bei der Auswahl der Rebsorte, worauf schon in früheren Jahrhunderten und Jahrzehnten vorausschauende Winzer hingewiesen haben.

So schreibt *Joh. Christian Fischer* aus Marktbreit in Unterfranken 1791: »Jedermann wünschet von seinen Weinbergen guten und vielen Most zu erhalten; aber wenige wenden die Mittel dazu an, beide Wünsche zu erreichen.Lerne man die vorzüglichsten Gattungen kennen, und wie solche nach und nach zeitigen.«

In früheren Jahren legte man keinen Wert darauf, einen Wein mit dem Namen der Rebsorte zu benennen, die zu seiner Bereitung gedient hatte. Erst mit Beginn des 20. Jahrhunderts wurde ein Wein generell mit Markungs-, Lage- und Sortennamen gekennzeichnet, als nämlich anstelle des sogenannten gemischten Rebsortensatzes nur eine Rebsorte zur Anpflanzung eines Weinberges kam. Außerdem stellte auch der Weinkenner höhere Ansprüche an die Expertise, an das Etikett als den Geburtsschein eines Weines. Mittlerweile war auch ihm klar geworden, daß verschiedene Rebensorten in ein und derselben Lage ganz unterschiedliche Weine bringen, deren Qualität, Lagerfähigkeit und Bekömmlichkeit sortenbedingt verschieden sind.

Schon im 18. Jahrhundert begann man, die Rebsorten nach der Qualität und Lagerfähigkeit ihrer Weine zu charakterisieren. Zu den Sorten, die den stärksten und haltbarsten Wein geben, wurden Riesling, Muskateller und Traminer gezählt, während andere Sorten einen bald trinkbaren, leichteren und daher weniger lagerfähigen Wein lieferten, z. B. Elbling, Silvaner und Ruländer (Joh. Christian Fischer 1791).

Nach dem neuesten deutschen Weingesetz ist die Nennung der Sorte auf dem Etikett nicht zwingend vorgeschrieben, wohl mit Rücksicht auf die Gepflogenheiten in einigen Weinbaugebieten bei der Weinbereitung, wo der Lage der Vorzug vor der Sorteneigenart gegeben wird (Mosel), oder mehrere Sorten im Verschnitt der Weinbereitung dienen (Bordeaux).

Auch nach der Weinmarktordnung der Europäischen Gemeinschaft ist mit Rücksicht auf die Methoden der Weinbereitung in einigen großen Weinbaugebieten Frankreichs und Italiens die Nennung der Rebsorten auf dem Etikett nicht zwingend. Der deutsche Weinbau hat in dieser Beziehung, wenn auch mehr oder weniger geographisch und klimatisch bedingt, beispielhafte Pionierarbeit geleistet; die er aber mit den alten Sorten nicht erfolgreich fortführen kann.

Solange der Wein aus einem Gemisch von mehreren Rebsorten gewonnen wurde und wird, unterschied man und unterscheidet man noch heute (Frankreich, Italien) im Weinhandel wie im Weinkonsum lediglich zwischen Qualitätswein (verschiedener Gütegrade) und »Minderen Wein« (Landweine, Tafelweine). Der Preisunterschied für die unterschiedlichen Qualitäten war und ist noch heute erheblich. So wurde früher für einen Qualitätswein (Naturwein) ersten Grades (Grands Crus Classés) etwa das Zehnfache wie für einen »minderen Wein« gezahlt. Der Qualitätswein konnte aber in früheren Jahren, als sich der Konsumentenkreis vorwiegend aus Weinkennern zusammensetzte, besser abgesetzt werden als der »Mindere Wein«, auch trotz seines höheren Preises. Heute scheint es umgekehrt zu sein, wenigstens der Werbung nach.

Für die Erzeugung von Qualitätswein gab es im 19. Jahrhundert in Deutschland wenige Sorten: Riesling, Traminer, Muskateller, Gutedel und gebietsweise Ruländer und Silvaner, die im Gemisch angepflanzt wurden, für Rotweine: Spätburgunder, Frühburgunder, in Württemberg: Trollinger, Schwarzriesling (Schwarzclevner), Lemberger. Daneben wurden aber auch die Lagen vorgeschrieben, die sich entsprechend der Spätreife der Sorten

Riesling und Muskateller durch ein besonders günstiges Kleinklima auszuzeichnen hatten. Mit der Güte der Weine erhielten einzelne Lagen so einen besonderen Ruf und man nannte und verlangte den Wein lediglich nach der Lage.

Z. B. Bernkasteler Doktor, Forster Ungeheuer, Wachenheimer Gerümpel, Oppenheimer Sackträger, Würzburger Stein, Escherndorfer Lump, um nur einige zu nennen. Neben den Hauptsorten gab es in Deutschland noch etwa 40–50 weitere, in der Menge wie in der Qualität unterschiedliche Sorten, von denen sich bis in unsere Tage der Elbling, der Räuschling oder Gelbfüßler und der Ortlieber, sowie der schwarze Urben noch vereinzelt erhalten haben. Lediglich der Elbling (im Volksmund auch »Der Grobe, oder Grobriesling« genannt) hat noch seine Bedeutung an der Ober- wie Untermosel und vereinzelt noch am Bodensee und um Regensburg, bei Bach und Kruckenberg, wo er den Namen »Hierländer« trägt. Aus diesen untergeordneten Sorten durfte nur »Minderer Wein« gewonnen werden, auch durften sie nicht mit den Qualitätssorten zwecks Bereitung von Qualitätswein verschnitten werden.

In Frankreich sind die Qualitätsweine unter der Bezeichnung AC-Weine bekannt (Appelation controllée). Zu ihrer Bereitung werden etwa 80 Rebensorten benutzt, deren Kombination und prozentualer Anteil für einen bestimmten landschaftsgeprägten Typenwein von Landschaft zu Landschaft verschieden sind. In Frankreich sprich man von Hauptsorten und Ergänzungssorten. Die Hauptsorten sind von einer »grande noblesse«. Sie geben die Grundlage für die großen Gewächse ab, während die Ergänzungssorten der Abrundung und Verfeinerung dienen. Für die bekannten Qualitätsgebiete des Medoc oder der Bourgogne ist der Anteil, den die Hauptsorte mindestens liefern muß, genau vorgeschrieben.

Während man beispielsweise in Frankreich und Italien diese Methode der Weinbereitung durch Vermischen mehrerer Sorten beibehielt, ging der deutsche Weinbau einen anderen Weg, nämlich den des reinen Satzes und der Ausmerzung qualitativ geringer Sorten. Allerdings waren die Erträge des reinen Rebsatzes nicht nur sehr gering, sondern auch qualitätsmäßig gefährdet. Die Ursache war in den vielseitigen Degenerationserscheinungen der Edelreben einerseits und in der unterschiedlichen Abhängigkeit vom geologischen und klimatischen Faktoren andererseits, die eine Lage als ökologische Niesche kennzeichneten, zu suchen. Hinzu kam das Auftreten von bis um die Mitte des vorigen Jahrhunderts unbekannten Schädlingen tierischer und pilzlicher Art.

Sebastian Englert, Randersacker, war der erste, der sich an die Auswahl gesunder, ertragreicher Stöcke bei der Sorte Silvaner heranmachte und damit einen Weg zeigte, der sich auch bei anderen Sorten wie Riesling und Traminer, Ruländer und späteren neueren Sorten als erfolgreich und notwendig erwies. Mit der Ausmerzung schwachwüchsiger, kranker, ertragsschwacher Stöcke werden nicht nur unerwünschte erbliche Abweicher, sondern auch – damals noch unbekannt — heute bekannte virusbefallene Reben von der Vermehrung ausgeschlossen. Das Resultat ist im Einzelfall wie im gesamten Weinbau eine Gesundung unseres Rebenbestandes aller Sorten. Mit der getrennten, separaten Vermehrung »einzelner« Stöcke, die sich besonders durch Ertragsfreudigkeit, Gesundheit und Widerstandsfähigkeit klimatischen Faktoren gegenüber auszeichneten, wurden innerhalb ein und derselben Sorte unterschiedliche Formen, sogen. Klone geschaffen, mit denen in der zweiten Hälfte des 20. Jahrhunderts im Wiederaufbau der deutschen Weinbaugebiete die neuen Weinberge nicht nur sortenrein, sondern sogar klonenrein angelegt wurden.

Man hätte nun annehmen können, daß damit das Non-plus-ultra des Weinbaues erreicht gewesen wäre. Dem war keineswegs so. Wohl war es gelungen, gesunde, kräftige und ertragreiche Sorten aus den früheren degenerierenden alten Bestände zu züchten, aber eine grundsätzliche Änderung des Sortenspiegels, derart, daß weitgehend klimaunabhängige Sorten gewonnen wurden, deren Weine qualitativ denen der alten Sorten nicht nachstehen, waren nicht gefunden. Nach wie vor verlangten die alten klonenreinen Sortenbestände des Rieslings, des Silvaners usw. eine gute Lage, in denen sie jedes Jahr (möglichst) reifen konnten, ohne daß später der Zuckersack die fehlende Sonne ersetzen mußte. Erst mit dem neuen Weingesetz von 1971–1982 wurde dies Vorschrift.

Außerdem – und das war ein sehr wichtiger Punkt " befanden sich die für die spätreifenden Qualitätssorten geeigneten Lagen durchweg im Besitz kirchlicher, staatlicher, kommunaler oder herrschaftlicher Hand, während der Winzer sich mit den Lagen zweiten und dritten Grades begnügen mußte. Damit aber war er auch marktmäßig immer der Unterlegene. Es mußten also neue Sorten geschaffen werden, die weitgehend unabhängig von klimatischen Einflüssen auch in geringeren Lagen jedes Jahr reife Qualitätsweine in hinreichender Menge liefern. Diese sind nun vorhanden und haben den Sortenspiegel im deutschen Weinbau zum Segen für den kleinen Winzer und den Konsumenten verändert. Es gibt auch aus ungünstigen Lagen keine »Minderen Weine« mehr.

Und beim Winzer, der Selbstmarkter ist, gibt es mehr naturreine Weine bester Qualität als je zuvor.

»Jetzt soll du mir willkommen sein
Mondhell mit Gold der weißen Reben?
In Rubinroter Tiefe heiligen Schein
Schau ich hinab mit frommen Beben!«

Frei nach Justinus Kerner

Die Kulturpflanzenforschung verlegt die Entstehung unserer meisten Kulturpflanzen, wie Gerste, Weizen, Leguminosen, Obst und auch Reben in den Raum zwischen dem Kaspisee und dem persischen Golf. Auch im Gilgameschepos (2500 v. Chr.), dem ältesten Schriftzeugnis, was wir besitzen, wird neben Brot auch schon der Wein erwähnt. Es erzählt von der Entwicklung des Menschen in diesem Raum, vom Jäger- und Beerensucher zum Akkerbauer. Aus diesem Zentrum, dem Ursprungsgebiet der Vitis vinifera, vermutlich aus der Vitis silvestris oder einer ihr verwandten Art, kamen durch die Amharen Gerste und Reben an den oberen Nil, wo sich für diese Arten ein zweites Mannigfaltigkeitszentrum entwickelte. Hier wurde nicht nur zuerst das Bier gebraut, sondern auch Weinbau mit rotbeerigen Rebensorten betrieben. Man darf sich keineswegs den Weinbau in jeder Zeit so vorstellen, wie wir ihn heute kennen. Aber es wurden schon Weinfeste gefeiert. Die von Bombastis (ca. 2000 v. Chr.) waren damals so berühmt wie heute das Klingenberger Weinfest oder der Dürkheimer Wurstmarkt. Von dort aus verbreiteten sich die Rotweinsorten entlang der nordafrikanischen Mittelmeerküste über Spanien bis nach Südfrankreich, so daß angenommen wird, die Rotweinsorten sind vom Westen nach Mitteleuropa gekommen. Man nennt sie daher auch Vitis vinifera occidentalis.

Einen anderen Weg zu uns nach Mitteleuropa nahmen die weißen Weinrebensorten. Im Gilgameschepos wird von einer Sintflut berichtet, die ungefähr 7000 v. Chr. stattgefunden haben soll. Noah entging dieser Überschwemmung, indem er mit Tieren und den wichtigsten Pflanzen auf einem Kahn den Fluß aufwärts steuerte und sich am Fuße des Berges Ararat (Herat) ansiedelte. Der Berg Ararat liegt im Quellgebiet der Flüsse Euphrat und Tigris in Armenien. Dort will man ja auch Reste der Arche dieses biblischen Schiffsmannes gefunden haben. Nahe der Stadt Agori, am Fuße des Ararat wurde ein Gedenkstein aufgestellt mit der Inschrift: Hier pflanzte Noah seine Reben.

Wie am oberen Nil, entfaltete sich hier ein weiteres Mannigfaltigkeitszentrum des Vitis vinifera, die von hier aus über den Hellespont, entlang den fruchtbaren Gefilden am Fuße der Berge ihre Verbreitung bis an die Loire in Nordfrankreich erfuhr. Es handelt sich um Weißweinsorten. Sie werden von der Kulturpflanzenforschung daher als Vitis vinifera pontica bezeichnet. Die Vitis vinifera wird also im Norden von vorwiegend Weißweinsorten, im Süden dagegen von Rotweinsorten vertreten. In der Pflanzengeographie spricht man daher von sich gegenseitig vertretenen Formen oder genetisch ausgedrückt: von geographisch-vikariierenden Vitis vinifera-Unterarten. An ihren Berührungsgrenzen haben sie sich verzahnt, so daß man z. B. in Südwestfrankreich auch Weißweinsorten, wie die dem gelben und grünen Silvaner identische oder verwandte Formen des gelben Sauvignon petit (jeune) und grünen Sauvignon verde (grün) = Gross-Sauvignon findet, wie bei uns von den Rotweinsorten Früh- und Blauburgunder, die aber zahlenmäßig um so spärlicher werden, je weiter man nach Norden kommt.

Eine dritte Form, Vitis vinifera orientalis, die Stammform der großfrüchtigen Tafeltrauben, hat ihr Mannigfaltigkeitszentrum im palästinensischen Raum, von wo sie relativ spät, hauptsächlich durch den Islam, ihre Verbreitung rings um das Mittelmeer erfahren hat. Da den Mohamedanern jeglicher Weingenuß verboten war, wurden anstelle der weinliefernden Sorten Tafeltrauben zum Essen gepflanzt. So gab es nach Abzug der Sarazenen aus Sizilien dort keine Keltertrauben, so daß der Wein für die Bewohner eingeführt werden mußte.

Von den alten Sorten im deutschen Raum sollten Gutedel und Trollinger zu dieser Unterart orientalis zählen. Tafeltrauben liefern im allgemeinen keine guten Weine, da sie infolge ihrer Großfrüchtigkeit eine hohe Säure und relativ wenig Traubenzucker besitzen, wodurch sowohl ihre Qualität als Eßtrauben charakterisiert wie auch ihre Transportfähigkeit gesichert wird.

Dies zu wissen, ist sicher auch für den Weinfreund von Interesse. Genau wie bei anderen Lebewesen, Pflanzen wie Tiere, wird bei Ausstrahlung in ungünstigere Lebensbezirke die genetische Formenmannigfaltigkeit größer, während unter günstigeren Bedingungen die Individuenzahl einer Form steigt. Dieses Naturgesetz gilt auch für die Reben und es haben die Rebenzüchter wie die Weinbaupolitiker zu berücksichtigen. In südlichen Gefilden kann man daher eher großräumig einen gebietstypischen Wein erzeugen als in nördlichen Breitengraden.